CW00340798

Jostein Gaarder est né en 1952 à Oslo. Après avoir enseigné la philosophie et l'histoire des idées à Bergen en Norvège, il se consacre aujourd'hui à sa carrière littéraire et a créé une fondation de défense de l'environnement. Il connaît, dans son pays, un succès unanime pour une œuvre d'une profonde originalité. C'est *Le Monde de Sophie* qui l'a définitivement consacré auprès de la critique et du grand public, en Norvège et à l'étranger (Allemagne, Suède, Italie, États-Unis, France, etc.).

Jostein Gaarder

L'HÉRITAGE D'ANNA

Une fable sur le climat et l'environnement

Traduit du norvégien
par Céline Romand-Monnier

Seuil

TEXTE INTÉGRAL

TITRE ORIGINAL
Anna – En fabel om klodens klima og miljø
ÉDITEUR ORIGINAL
H. Aschehoug & Co, Oslo

ISBN 978-2-7578-5906-3
(ISBN 979-10-235-0107-0, 1re publication)

Montée en traîneau

Aussi loin que remontaient ses souvenirs, les familles du bourg étaient montées en traîneau aux chalets d'alpage, le soir du 31 décembre. Les chevaux étaient pansés et pomponnés pour la nouvelle année, et on accrochait aux traîneaux des grelots et des flambeaux qui brûlaient dans les ténèbres. Certaines années, on avait tracé une piste à la dameuse pour éviter aux chevaux de s'enliser dans la poudreuse. Mais à chaque Saint-Sylvestre, on allait à la montagne, non pas à skis ou à scooter, mais en traîneau tiré par des chevaux. Car si Noël était magique, le véritable conte de fées, c'était cette montée à l'alpage.

Le soir du nouvel an, tout était différent. Enfants et adultes se retrouvaient dans un méli-mélo chaotique qui, pour une fois dans l'année, allait bien au-delà de la réunion de famille. En une seule et même soirée, on sortait d'une année pour entrer dans une autre. On franchissait une frontière invisible entre ce qui avait été et ce qui allait advenir. *Bonne année !... Et merci pour celle qui vient de s'écouler !*

Anna adorait ce réveillon à l'alpage et n'aurait su déterminer ce qu'elle préférait : la montée pour célébrer les derniers restes de la vieille année ou la descente vers l'an nouveau, bien emmitouflée dans une couverture en laine, les épaules enveloppées de la chaleur du bras de papa, de maman ou d'un habitant du bourg.

Mais l'année de ses dix ans, le dernier jour de décembre avait été sans neige, sur le plateau comme en plaine. Le gel avait depuis longtemps planté ses crocs dans le paysage, pourtant, hormis quelques modestes congères çà et là, il n'y avait pas de neige sur la montagne. Et, dépourvu de son manteau blanc, le majestueux sommet se trouvait honteusement nu.

Les adultes se murmuraient entre eux des « réchauffement planétaire », « changement climatique », et Anna nota ces nouvelles expressions. Pour la première fois de sa vie, elle eut le sentiment que le monde n'était pas dans son état normal.

Aller à la montagne pour le réveillon restait toutefois un incontournable, et le seul moyen d'y accéder, cette année-là, fut le *tracteur*. En outre, la traditionnelle visite à l'alpage dut avoir lieu de jour, car sans neige sur le plateau, la nuit était si sombre qu'on ne voyait pas plus loin que le bout de son nez. Même les flambeaux auraient été d'un piètre secours – et puis, des flambeaux sur un tracteur, quel ridicule !

Tôt, ce jour-là, cinq tracteurs progressèrent donc vers la montagne, à la vitesse d'un escargot, traversèrent le bois de bouleaux chargés de bonnes choses à manger et à boire. Neige ou pas, on devait tout de même bien pouvoir porter un toast à la nouvelle année et s'amuser un peu dans le pré gelé.

On n'avait pas parlé uniquement de l'absence de neige, ce Noël-là. Pendant les fêtes, on avait pu observer des rennes sauvages près des fermes et on disait en plaisantant que le père Noël les avait peut-être oubliés après sa distribution de cadeaux.

Anna avait trouvé cette histoire effrayante, inquiétante. Jamais les rennes n'étaient descendus jusqu'aux bourgs. Dans une des fermes, on avait essayé de nourrir une bête apeurée, et une photo de la scène était parue dans le journal : « Les rennes sauvages à la conquête des villages d'altitude »...

En ce dernier jour de décembre, un cortège de tracteurs faisait donc route vers la montagne et dans la première remorque se trouvaient Anna et une poignée d'autres enfants. Plus ils montaient, plus le paysage glacé apparaissait vitrifié – il avait dû pleuvoir juste avant que le froid vienne figer tout ce qui s'écoulait.

Ils aperçurent la carcasse d'un animal sur le bas-côté, et les tracteurs s'arrêtèrent. C'était un renne, raidi par le gel, et l'un des hommes expliqua que l'absence de nourriture l'avait tué.

Anna ne comprit pas tout à fait. Mais un peu plus tard, en haut de la montagne, elle put constater que le paysage entier était gelé. On n'aurait pu détacher des griffes du froid ne serait-ce qu'un petit caillou ou un reste de plante.

Ils dépassèrent Breavatnet, et les cinq tracteurs s'arrêtèrent encore, coupant même les moteurs. On vérifia que la surface du lac était sûre, et adultes comme enfants se précipitèrent sur la glace transparente. Et la joie se répandit au gré du parcours d'une truite qui nageait sous ce couvercle glacé.

On sortit balles, crosses de bandy[1] et luges. Toutefois Anna resta de son côté à marcher sur la rive en examinant la bruyère. Sous une fine membrane de glace,

1. Également appelé « hockey russe », le bandy est l'ancêtre du hoquet sur glace. (N.d.T.)

elle vit de la mousse et du lichen, de la camarine noire et du raisin d'ours des Alpes au feuillage rouge ardent. C'était un beau spectacle, presque comme si Anna était entrée dans un monde plus noble et plus raffiné. Mais elle ne tarda pas à apercevoir une souris morte… et là, une autre. Et puis, sous un bouleau nain, un cadavre de lemming. Alors, subitement, Anna comprit : tout ce qui avait eu un goût de conte de fées était révolu. Elle savait que les souris et les lemmings passent l'hiver en montagne entre buissons et fourrés sous de moelleux duvets de neige. Cependant, sans ces moelleux duvets de neige, il n'était pas facile pour eux de s'en sortir.

Anna sut alors pourquoi les rennes sauvages étaient descendus en plaine. Cela n'avait rien à voir avec le père Noël.

Le docteur Benjamin

Six ans plus tard, Anna est avec ses parents dans leur maison de rondins ancienne. Dehors, il fait sombre depuis déjà des heures et, sur le manteau de la cheminée et l'appui de fenêtre, son père a allumé toutes sortes de bougies. C'est le 10 décembre, et elle n'est qu'à deux nuits de ses seize ans.

Dans le salon, ses parents regardent la télévision. La scène se passe dans l'océan Pacifique, à l'époque des vieux gréements. C'est un film d'aventure. À moins que ce ne soit un documentaire sur l'un de ces célèbres capitaines du dix-huitième siècle ? Anna n'est pas sûre, elle ne suit qu'à moitié.

Elle est assise à la table de la salle à manger et voit du coin de l'œil les images du Pacifique défiler sur l'écran. Une grande paire de ciseaux à la main, elle fait du découpage dans une pile de journaux…

Au mois d'août, Anna était entrée en seconde, et après seulement quelques jours dans son nouveau lycée, elle avait fait la connaissance de Jonas, qui était en première. Ils étaient aussitôt devenus amis et avaient passé quelques jours à prétendre être amoureux, comme dans un jeu de rôle, avant de finir par se rendre compte qu'ils *étaient* amoureux.

Installée devant une grande tasse de thé et toutes ses coupures de presse, Anna souriait toute seule. Ah, les revirements de la vie !

Il était toutefois une chose à laquelle elle avait été bien préparée. Aujourd'hui, elle avait enfin reçu l'ancienne bague de sa tante Sunniva ! Elle avait toujours su qu'elle en hériterait quand elle aurait seize ans. On la lui avait remise aujourd'hui, car sa mère devait partir de bonne heure le lendemain matin. Pour le dessert de ce dîner solennel, sa mère avait acheté un gâteau à la pâte d'amande orné d'une rose rouge, et c'est seulement après le repas que l'anneau avec le rubis rouge avait été sorti de son écrin ancien. Anna l'avait gardé au doigt toute la soirée, et en découpant ses journaux, elle baissait les yeux toutes les dix secondes sur la précieuse bague.

Le joyau avait plus de cent ans – plusieurs siècles, pensaient certains. Et il était lié à une abondance de récits passionnants.

Pour ses seize ans, Anna avait aussi reçu le smartphone infiniment cool de ses rêves. Il était pourtant un peu passé au second plan face au noble bijou de famille. Mais avoir accès à tout l'Internet d'un simple effleurement de l'écran n'en demeurait pas moins incroyable.

Ce que cet automne avait eu de plus singulier restait néanmoins la virée à Oslo de la mi-octobre. L'aventure avait commencé quelques mois auparavant.

Depuis son enfance, on disait à Anna qu'elle avait une imagination vive. Quand on lui demandait à quoi elle pensait, elle était capable de produire des histoires interminables, ce que personne n'avait jamais perçu autrement que comme une richesse. Mais, au printemps, Anna s'était mise à ressentir les histoires surgies de son imagination comme réelles et vraies, des histoires auxquelles elle devait être réceptive, venues peut-être d'un autre temps, d'une autre réalité.

Finalement, elle s'était laissé convaincre d'aller voir une psychologue, et les rendez-vous s'étaient poursuivis. La psychologue avait déclaré qu'elle aimerait qu'Anna se fasse examiner par un psychiatre d'Oslo. Anna n'y était pas opposée. Elle ne voyait pas de quoi elle aurait dû avoir honte et considérait même comme une sorte d'honneur de se faire examiner par un psychiatre.

Elle exigea de s'y rendre sans ses parents, et Jonas proposa de l'accompagner. Ses parents ne démordant pas de ce que l'un d'eux devait venir, ils firent un compromis : elle eut le droit de partir avec Jonas, mais sa mère voyagea non loin d'eux, dans un autre compartiment du train.

En début d'après-midi, les trois voyageurs se présentèrent au Rikshospital. Mais, dans un premier temps, du moins, le psychiatre verrait Anna seule. Elle comprit que c'était une grosse déception pour sa mère, qui aurait tant voulu assister, elle aussi, à cet examen de l'âme, et qui allait devoir se résoudre à patienter avec Jonas dans la salle d'attente.

Le docteur Benjamin avait plu à Anna dès le premier instant. C'était un homme de cinquante, soixante ans, aux longs cheveux gris rassemblés en queue-de-cheval. Il avait à une oreille une toute petite étoile violette, et dans la poche de poitrine de sa veste noire un feutre rouge. Une étincelle amusée dans le regard, il n'avait cessé de la considérer avec intérêt pendant leur entretien.

Elle se souvenait encore de la toute première chose qu'il lui avait dite après avoir refermé la porte sur la salle d'attente : ils avaient de la chance, le rendez-vous suivant avait été annulé, ils avaient donc du temps devant eux.

Le soleil brillait dans la pièce peinte en blanc, et Anna regardait le feuillage rouge et jaune des arbres au-dehors. À un moment, elle avait aperçu un écureuil qui montait et descendait à toute allure dans un pin.

– *Sciurus vulgaris !* s'était-elle exclamée. Ou écureuil commun. Mais en Angleterre, il n'est plus si commun que ça. L'écureuil roux y est maintenant évincé par l'écureuil gris américain.

Le psychiatre avait écarquillé les yeux, et Anna avait songé qu'il était peut-être impressionné par ses connaissances en histoire naturelle. Alors qu'il se retournait sur sa chaise pivotante, elle avait remarqué la photo d'une jolie femme dans un cadre rouge, sur le bureau. Sa fille ? Son épouse ? Anna aurait voulu lui poser la question, mais il avait pivoté de nouveau sur sa chaise, cachant la photo, et l'idée lui était sortie de la tête.

Elle s'était interrogée sur le déroulement d'un examen psychiatrique. Comment un psychiatre peut-il observer l'intérieur de sa tête ? Elle s'était figuré qu'il utiliserait d'abord un instrument optique spécial pour examiner ses yeux, car les yeux sont le miroir de l'âme. Puis que, par acquit de conscience, il essaierait de regarder à l'intérieur de son crâne par les oreilles, le nez ou la bouche, puisque, à la différence des psychologues, les psychiatres sont des médecins. Elle ne savait pas jusqu'où elle avait cru à ces élucubrations, à ces petits bouts de films qui s'animaient dans sa tête, mais elle avait véritablement craint qu'il n'en vienne à l'hypnotiser pour vider son âme de tous ses secrets. Cette histoire d'hypnose, elle espérait y échapper car elle n'aimait pas l'idée de perdre le contrôle de soi et d'être conduite à délivrer *tous* ses secrets. Elle préférait encore que le psychiatre ait la main un peu dure avec ses instruments.

Mais ils s'étaient contentés de parler ! Le psychiatre lui avait posé de nombreuses questions intéressantes et la conversation avait fini par devenir si enjouée qu'Anna s'était permis de lui en poser quelques-unes à son tour. Car qu'en était-il du docteur lui-même ? Lui arrivait-il, à lui aussi, de tomber sur quelques bonnes histoires à partager avec son entourage ? Lui était-il arrivé, à lui aussi, de rêver qu'il était quelqu'un d'autre ? Avait-il parfois fait des rêves prémonitoires ?

Après un long moment, le docteur Benjamin avait résumé leur entretien.

– Anna, avait-il conclu, je ne vois pas de signe indiquant que tu serais malade. Tu as une vie imaginaire exceptionnellement forte et une aptitude presque étrange à te représenter des situations que tu n'as pas vécues. Cela peut parfois être fatigant, mais ce n'est pas une maladie.

Anna était du même avis. Elle était tout à fait certaine qu'elle n'était pas malade. Pour la forme, elle lui avait rappelé tout de même qu'elle croyait parfois à ses propres rêveries. Elle avait précisé qu'elle avait le sentiment que certaines choses auxquelles elle pensait ne naissaient pas en elle, mais *venaient* à elle.

Il avait hoché la tête.

– Je crois l'avoir compris. Tu es dotée d'une imagination si alerte que tu en es comme débordée et que tu peines à croire que c'est toi qui as tout inventé. Mais l'imagination est une faculté humaine dont tout le monde jouit dans une plus ou moins grande mesure. Tout le monde rêve. C'est juste que tout le monde ne se souvient pas nécessairement de ce dont il a rêvé.

C'est en cela, surtout, que tu sembles avoir un don rare. Tu emportes avec toi ce dont tu rêves la nuit…

Anna avait scrupuleusement mis toutes les cartes sur la table.

– Mais, en même temps, je peux avoir le sentiment que les rêves viennent à moi d'une autre réalité, d'un autre temps.

Le psychiatre avait hoché de nouveau la tête.

– La faculté d'avoir différentes croyances est profondément ancrée dans notre nature. De tout temps, les hommes ont fait l'expérience de contacts avec des puissances surnaturelles, comme des dieux, des anges, ou bien avec leurs ancêtres. Et puis certains ont raconté avoir vu de leurs propres yeux des êtres surnaturels ou les avoir rencontrés. La capacité de croire est peut-être plus intense chez certains que chez d'autres. C'est comme le reste. Certains sont plus forts que les autres aux échecs ou en calcul mental. Et d'autres sont des as de l'imagination et de la croyance, des domaines où Anna Nyrud se situe sans doute en toute première ligne.

Anna avait contemplé les jeux de lumière dans le feuillage coloré des arbres.

– En revanche, si tu avais cru que tous les bourdons et abeilles de ton jardin étaient commandités par la CIA et qu'ils volaient autour de ta maison uniquement pour t'espionner, tu aurais peut-être souffert d'une maladie mentale grave.

Elle l'avait interrompu :

– Comment savez-vous que j'ai un jardin ?

– Tu as dit un jour à ta psychologue que tu préférais ne pas faire l'expérience d'une rencontre avec un *renne sauvage* dans ton jardin.

Anna avait ri :

– Elle n'a pas compris de quoi je parlais. Mais j'aime beaucoup ce jardin. Et les abeilles…

– Oui ?

– Les abeilles sont la nature, comme vous et moi. Bien sûr qu'elles ne sont pas dirigées par la CIA. Elles le sont par leurs propres gènes. Je crois aussi qu'elles sont des sortes de représentantes de notre mère la Terre.

– Précisément, avait approuvé l'homme à la queue-de-cheval. Et ce que tu dis là ne peut pas être qualifié d'idée tordue, encore moins d'« idée délirante bizarre », comme on dit dans notre jargon.

Au cours de leur entretien, il avait parfois jeté un coup d'œil sur un écran d'ordinateur. Voilà qu'il recommençait, et Anna comprit que le document qu'il consultait devait être le rapport substantiel de la psychologue.

– Y a-t-il quelque chose dont tu aies peur, Anna ?

Elle avait aussitôt répondu :

– Le réchauffement climatique.

Le psychiatre avait légèrement tressailli. C'était manifestement un médecin expérimenté. C'était la première fois qu'il avait semblé surpris d'une réponse de la jeune fille.

– Que viens-tu de dire ?

– J'ai peur des changements climatiques occasionnés par l'homme. J'ai peur que nous ne mettions en péril le climat de la planète sans penser à ceux qui viendront après nous.

Le psychiatre avait attendu quelques secondes.

– Et c'est sans doute une crainte réelle – que je ne peux hélas ! pas ôter de ton esprit, déclara-t-il enfin. Si tu m'avais dit avoir peur des araignées, la situation aurait été un peu différente. Dans ces cas-là, on parle souvent de phobie, et il peut alors être question d'un certain traitement, une habituation progressive à ce dont le patient à peur, par exemple. Mais nous ne traitons pas l'inquiétude d'un patient face au réchauffement de la planète.

Elle avait regardé le docteur Benjamin dans les yeux, puis l'étoile à son oreille.

– Êtes-vous conscient des milliards de tonnes de CO_2 que l'humanité a relâchées dans l'atmosphère au cours des dernières décennies ?

À sa grande surprise, le psychiatre avait répliqué sans réfléchir :

– Je crois qu'il y a aujourd'hui dans l'atmosphère environ 40 % de plus de CO_2 qu'avant que nous nous mettions à sérieusement brûler du pétrole, du charbon et du gaz, à abattre les forêts et à nous livrer à l'agriculture intensive. Le niveau de CO_2 n'a pas été aussi haut depuis plus de six cent mille ans, et la cause en est donc les émissions créées par l'homme.

Anna avait été impressionnée. Ces questions étaient très importantes, mais il n'était pas fréquent d'en être vraiment au courant. Elle avait levé le pouce en disant :

– Il y a déjà tant de gaz à effet de serre que plus personne n'est en mesure de déterminer quelles conséquences ils auront sur le climat et sur l'environnement de la planète. Et les émissions continuent…

Le docteur Benjamin avait posé les deux mains à plat sur son bureau et, l'espace d'une seconde ou deux, il était resté à demi penché en avant, à contempler le plateau de la table, avant de relever les yeux sur Anna. Il avait l'air presque décontenancé.

– Nous nous sommes un peu écartés de mon domaine, mais je peux te confier que, moi aussi, je nourris une certaine inquiétude à l'égard de toute cette combustion de carbone et des conséquences qu'elle pourrait avoir sur la vie sur Terre. Quoique ces choses ne soient finalement peut-être pas entièrement sans rapport avec la psychiatrie…

Comme il hésitait, elle l'avait encouragé :

– Continuez. Ça m'intéresse.

Il avait repris :

– Je me suis demandé si nous ne vivions pas dans une culture qui *refoule* des vérités fondamentales. Tu comprends ce que j'entends par là ?

– Je crois. Nous trouvons tellement désagréable de penser à une chose donnée que nous nous efforçons de l'oublier.

– Exactement, oui. C'est ce que je voulais dire.

Anna avait eu une inspiration subite, comme surgie d'une autre réalité, et s'était entendue déclarer :

– Qu'auriez-vous répondu si je vous avais dit que j'avais peur des Arabes ?

Il avait éclaté de rire.

– J'aurais sans doute proposé que tu passes parfois du temps avec des Arabes. Je crois que ç'aurait été le traitement le plus efficace.

– Cool…

– Nous ne traitons donc pas l'inquiétude des patients face au réchauffement climatique. C'est à se demander si nous ne devrions pas plutôt chercher une sorte de remède contre l'*absence* d'inquiétude face au réchauffement climatique. Car cette menace, nous ne sommes pas censés nous y habituer peu à peu. Au contraire ! Nous devons essayer de l'éradiquer.

Depuis le début, Anna avait l'impression que le psychiatre lui parlait comme à une adulte, ce qui n'était pas pour lui déplaire. Il s'adressait à elle comme à une égale. Elle avait néanmoins été un peu soufflée quand, à l'issue de leur rendez-vous, il avait voulu savoir si elle était membre d'une association écologiste. Dans un cabinet médical, la question était inattendue. Mais c'était elle qui avait abordé le sujet des changements climatiques induits par l'homme.

Elle avait répondu que là où elle habitait, il n'existait rien de tel. Là-bas, presque tout tournait autour de l'école et du travail, du bricolage sur les voitures et les motos, et, bien entendu, des soirées et des beuveries du week-end.

– Le jeune homme avec qui tu es arrivée, c'est ton frère ?

Elle avait ri.

– Oh, non, c'est Jonas. C'est juste mon petit ami.

Elle était contente de la formule : « C'est juste mon petit ami. »

Il avait ri avec elle.

– Jonas se préoccupe-t-il des questions climatiques, lui aussi ?

– Il est en première et il a pris physique, chimie et biologie. Donc, la planète, il apprend un truc ou deux dessus !

– Oui, c'est sûr.

– La question du réchauffement climatique n'a pas grand-chose à voir avec des conjectures. Soit on a appris et on a compris, soit on vit dans l'ignorance.

– Je crois que tu as parfaitement raison, Anna. Je ne serais pas surpris que le pourcentage de la population capable de rendre compte du bilan carbone soit inférieur à 1 %.

Anna avait senti son cœur faire un bond. Cette histoire de *bilan carbone* était un sujet dont elle avait récemment parlé avec Jonas. Elle avait en outre rédigé un dossier sur le réchauffement climatique quand elle était en troisième.

– Et vous, vous en êtes capable ? Vous pouvez en rendre compte, du bilan carbone ?

Alors qu'il éteignait son ordinateur et rassemblait des papiers sur son bureau, le sympathique médecin de l'âme lui avait fait un bref exposé, en commençant par quelques mots sur le cycle du CO_2 dans la nature. Les plantes retirent le CO_2 de l'air par la photosynthèse et emprisonnent ainsi le carbone dans des organismes vivants. Ce même CO_2 est libéré dans l'air par la respiration animale et la décomposition des matières organiques. Ce qu'il entendait par *bilan carbone*, c'était avant tout le remarquable équilibre qui existe entre la quantité de CO_2 apportée dans l'atmosphère par des éruptions volcaniques et celle dégradée par les éléments et finalement piégée dans la croûte terrestre. Pendant des millénaires, ces quantités avaient été quasi constantes, mais ce cycle, l'humanité n'avait aucune influence dessus, il était donc inutile de s'attarder sur le sujet. Le docteur Benjamin avait poursuivi :

– Tout le carbone qui a passé des millions d'années stocké dans le pétrole, le charbon et le gaz était « parqué », retiré du cycle. Mais cet équilibre très fragile…

Anna lui avait ôté les mots de la bouche :

– … cet équilibre très fragile, les hommes l'ont mis en péril en brûlant du pétrole, du charbon et du gaz et en relâchant ainsi des masses de CO_2 dans l'atmosphère.

– C'est ce que j'allais dire, oui. Même si la quantité de CO_2 qui est relâchée en raison des activités humaines ne constitue qu'une petite fraction de ce qui circule dans le cycle naturel, elle constitue un excédent résiduel que la nature n'a pas le temps d'enfermer dans la croûte terrestre. Il y a ainsi dans l'atmosphère des quantités de CO_2 sans cesse croissantes.

– Parce que cela s'accumule.

– Précisément. Tu sais cela aussi bien que moi. Si tous les jours tu manges un peu plus de calories que ton corps n'en a besoin pour assurer ses fonctions, tu finiras par te mettre à grossir. C'est de cette façon que de plus en plus de CO_2 se dépose dans l'atmosphère.

– Et alors, la Terre se réchauffe. Plus il y a de CO_2 dans l'atmosphère, plus il fait chaud. Et la glace et les glaciers fondent, ce qui ne fait qu'empirer les choses, car la neige et la glace réfléchissent la majeure partie de la lumière du soleil, mais ce n'est pas le cas de la mer et de la montagne. Donc la Terre se réchauffe encore plus.

– C'est bien ça, oui. C'est ce qu'on appelle les rétroactions positives.

– … qui pourraient faire fondre le pergélisol de la toundra, ce sol dont la surface ne dégèle jamais. Et provoquer ainsi des émissions à la fois de méthane et de CO_2 dans l'atmosphère. Le méthane aussi est un puissant gaz à effet de serre, et la Terre ne fait que continuer de se réchauffer. La quantité de vapeur d'eau dans l'atmosphère augmente, et il fait de plus en plus chaud. Maintenant, c'est au tour des glaces du Groenland, et peut-être de l'Antarctique…

Le docteur Benjamin avait lévé la main et Anna avait compris qu'il essayait de la freiner. Mais cette occasion de dire ce qu'elle avait sur le cœur, elle ne pouvait la laisser passer.

– L'effet de serre pourrait disjoncter complètement, et dans le pire des cas, la température moyenne du globe pourrait augmenter de six ou huit degrés. Ainsi, ce serait peut-être la totalité de la glace de la planète qui fondrait, et la mer s'élèverait de plusieurs dizaines de mètres… Dans la mythologie nordique, on avait un mot pour désigner ce qui pourrait alors arriver à la Terre. On appelait cela le *ragnarök*.

Le docteur Benjamin s'était levé pour la raccompagner à la sortie. Mais avant d'ouvrir la porte, il avait suggéré :

– Vous devriez peut-être créer une association écologiste, Jonas et toi. Un petit tigre féroce qui viendrait agiter votre environnement local. C'est sans doute la meilleure chose que tu aies à faire pour bien vivre avec cette peur des dégâts climatiques. À la longue, il n'est pas très sain d'intérioriser la peur, et là, c'est de nouveau le psychiatre qui parle. Si j'ai un conseil à te donner, c'est d'extérioriser. Donc, extériorise !

Il avait fouillé dans sa poche et lui avait tendu sa carte de visite.

– N'hésite pas à m'appeler ou à m'envoyer un mail si tu veux discuter de tout ça. Je n'ai plus d'enfants à la maison, ça ne me dérange pas si tu me passes un coup de fil.

Dans la salle d'attente, le psychiatre avait serré la main de la mère d'Anna et de Jonas. Il les avait regardés tour à tour.

– Il ne me reste plus qu'à vous remercier de m'avoir prêté Anna. Vous avez de la chance de fréquenter une trouvaille pareille au quotidien.

La mère d'Anna avait été si déconcertée qu'elle lui avait fait une révérence. Dans le tramway qui descendait en ville, elle avait demandé pourquoi le psychiatre portait une étoile à l'oreille – comme si Anna pouvait répondre à cela. Mais sa mère et Jonas ne sachant pas de quoi elle et le docteur Benjamin avaient parlé, elle pouvait donc inventer.

– Il a une étoile à l'oreille parce qu'il s'est rendu compte que nous vivions sur une planète fragile, qui est en orbite autour d'une étoile dans l'espace. Ce n'est pas le cas de tout le monde, et c'est seulement les gens qui le comprennent qui ont le droit de porter une étoile violette à l'oreille.

Pantois, sa mère et Jonas l'avaient dévisagée et elle avait ajouté :

– Un homme adulte ne se balade pas avec une étoile à l'oreille sans avoir conscience du fait qu'il vit sur un corps céleste.

Sa mère était repartie par le train de l'après-midi, mais Anna et Jonas avaient pris celui du soir. Ils s'étaient promenés main dans la main dans les rues de la capitale, étaient allés au Frognerpark et à Aker Brygge, puis ils étaient passés à la Maison de l'Environnement à Grensen, où étaient sises de nombreuses organisations environnementales. Sur le chemin du retour, ils avaient formé des plans pour l'association qu'ils étaient convenus de fonder. Jonas avait trouvé l'idée bonne.

Dans un premier temps, il serait chargé de recruter des militants. C'était une suggestion d'Anna, qui savait qu'il passait pour être le garçon le plus mignon de l'école, et elle pensait qu'il parviendrait sans trop d'effort à attirer au moins de nombreuses filles. Il avait ri.

– Mais on ne va pas faire un club de filles.

– Bien sûr que non. Mais si tu arrives à recruter de belles filles, on ne devrait pas avoir trop de mal à enrôler quelques gros durs.

La mission principale d'Anna serait de trouver de la documentation sur le climat et l'environnement dans la presse, les revues et sur Internet. C'était la raison pour laquelle elle était en train de découper des journaux. On avait souvent parlé du climat, ces derniers jours, suite à l'échec d'une réunion au sommet organisée au Qatar. Elle devait en outre chercher sur YouTube et d'autres sites Internet des vidéos, fichiers sonores et autres podcasts pertinents.

Anna posa ses ciseaux et s'installa devant la télévision avec ses parents. Le film sur le Pacifique parlait maintenant du capitaine Cook observant un transit de Vénus depuis cette île paradisiaque qu'est Tahiti. Par transit, on entend le passage de cette planète devant le disque solaire, phénomène si rare qu'il s'écoule parfois plus d'un siècle d'une fois sur l'autre. Au temps du capitaine Cook, il importait d'observer le transit de Vénus en plusieurs lieux de la Terre, simultanément, afin de permettre aux astronomes de calculer l'étendue du système solaire.

Anna voyait quelque chose de romantique dans ce capitaine britannique qui avait dû aller sur une île exotique des mers du Sud pour calculer la distance d'une planète ayant reçu le nom de la déesse de l'amour. Quoique, d'après le film, plus que de Vénus et des distances dans l'espace, c'étaient des femmes de l'île et de la romance terrienne que se préoccupaient le capitaine et son équipage.

La musique et le générique de fin cédèrent la place aux actualités du soir : le prix Nobel de la paix avait été remis à l'UE. Vingt et un chefs d'État étaient donc venus à Oslo… Et une femme d'une organisation humanitaire avait été prise en otage dans les zones frontalières entre le Kenya et la Somalie. Elle s'appelait Ester Antonsen et travaillait pour le Programme alimentaire mondial…

Anna dit bonsoir à ses parents, ramassa ses coupures de presse et son nouveau téléphone, et monta dans sa chambre. Ce soir, elle n'avait pas besoin de mettre l'alarme de son mobile, car demain les profs avaient leur journée pédagogique et les élèves n'avaient pas cours. Mais elle avait promis d'appeler Jonas dès son réveil.

Ç'avait été un jour spécial. Elle avait hérité de l'ancienne bague de la tante Sunniva. Elle avait reçu le téléphone mobile flambant neuf que la moitié de l'école allait lui envier. Elle avait rassemblé des vieux journaux et découpé tous les articles sur le climat et l'environnement qu'elle avait pu trouver. Et après-demain, elle aurait seize ans !

Anna se demanda de quoi elle allait rêver. Car elle savait que dès l'instant où elle sombrait dans le sommeil, son âme pouvait basculer dans une autre réalité.

La tablette

Elle ouvre les yeux et s'appelle Nova. Tout semble nouveau, différent.

Assise dans son lit, elle se tortille et, au même moment, une lumière diffuse se répand sur la table de nuit. Elle s'étire vers la tablette dont la lueur croît. L'écran indique : samedi 12 décembre 2082.

Elle voit les contours de la pièce dans laquelle elle a dormi. Les murs sont rouge sang. Elle voit la pluie tomber à verse sur l'étroite fenêtre qui monte du plancher jusqu'à une plinthe bleue, sous la pente du toit.

L'appareil fait « pling » et la photo d'un petit singe aux yeux tout ronds apparaît sur l'écran. Encore un primate dont l'extinction est confirmée. Dans la nature, le ouistiti a disparu depuis longtemps, car tout son écosystème a brûlé et séché. Mais voilà que le tout dernier individu en captivité est également mort. C'est regrettable. C'est triste.

Nouveau « pling ». Une espèce d'iguane, d'Amérique du Sud, elle aussi, déclarée éteinte.

Elle sent ses joues en feu. Mais elle est sans défense, car une fois de plus, sa tablette se manifeste, et des images animées d'une antilope africaine apparaissent. L'Union internationale pour la conservation de la nature, l'UICN, vient à l'instant de déclarer cette espèce éteinte ; cette antilope-là aussi était en captivité. Les généreux troupeaux d'antilopes, de gnous et de girafes qui évoluaient dans ce qu'on appelait jadis la savane africaine, personne ne les a plus vus depuis une génération. Et avec les herbivores, ont naturellement disparu les grands prédateurs. Çà et là, dans les jardins zoologiques, de nombreuses espèces de prédateurs et d'herbivores ont survécu, mais en captivité aussi, elles finissent par s'éteindre.

Nova a depuis longtemps installé l'appli LOST SPECIES qui, d'heure en heure, la tient informée des disparitions d'espèces végétales et animales. Il lui suffirait, pour être tranquille, de la désinstaller et de s'abstraire de ce qui se passe dans le monde qui l'entoure, mais elle estime qu'il est de son devoir d'être humain de suivre la destruction en cours des biotopes de la Terre. Elle est en colère. Elle est furibonde. Mais c'est peine perdue, car il n'est rien qu'elle puisse faire…

La cause principale de l'extinction de tant de plantes et d'animaux est le réchauffement climatique qui, il y a quelques décennies, s'est emballé. Si l'on revient seulement cent ans en arrière, cette planète était merveilleusement belle. Mais au cours de ce siècle, le globe a perdu beaucoup de son enchantement. Le monde ne sera plus jamais comme avant. L'humanité a depuis des années mis un terme à ses émissions de CO_2 dans l'atmosphère – quelle stupidité ! –, mais retirer de celle-ci les gaz à effet de serre est impossible. La planète a franchi plusieurs points de basculement déterminants. Ce ne sont plus les hommes qui mènent le réchauffement climatique. Les processus terrestres suivent désormais leur propre cours.

Nova effleure l'écran et arrive sur EarthCam. En même temps, elle allume le grand écran dans le plafond au-dessus de son lit. La tablette sert de télécommande pour le grand écran. Elle se hisse plus haut dans le lit et regarde la planète sur laquelle elle vit.

Quel temps fait-il au pôle Nord ? Elle lève les yeux sur l'azur éclatant de cette image de l'océan Glacial arctique, et la pièce s'emplit de lumière bleue. Le pôle est entièrement libéré des glaces et aujourd'hui, le vent n'y souffle presque pas ; seules quelques rides sur la mer ainsi que la bouée sur laquelle est fixée la caméra, qui apparaît soudain, témoignent de ce que l'on est en présence d'une image animée. La dernière observation d'un ours blanc dans la nature remonte à plusieurs années, toutefois on trouve encore quelques individus en captivité.

Et à quoi ressemblent donc le Pacifique ou l'océan Indien ? De nombreuses îles coralliennes sont déjà sous l'eau, des États entiers lessivés. Seules des balises dans la mer indiquent où se situait autrefois la terre ferme. Sur certaines d'entre elles, des écriteaux précisent où l'on se situe : Maldives, Kiribati, Tuvalu. Çà et là, Nova aperçoit des bâtiments ivoire, un ou deux mètres sous la surface de cette eau cristalline – ce sont d'anciens temples, mosquées et missions. Des civilisations englouties, des paradis exotiques d'hier.

Et la toundra sibérienne ? Elle bouillonne. Nova sélectionne quelques caméras qu'elle est déjà allée voir, fixe intensément l'écran vidéo tout fin et il lui semble percevoir le méthane émanant de la glace fondue et des marais. Il va faire encore plus chaud…

Un effleurement sur la tablette et elle obtient un globe actualisé, réalisé à partir d'images satellites récentes. Il tourne lentement. Les continents ne sont-ils pas un tout petit peu plus petits qu'il y a seulement quelques années ? La mer n'a-t-elle pas submergé d'autres villes côtières ? La couverture glaciaire au-dessus du Groenland et de l'Antarctique est en tout cas plus réduite que l'an dernier.

Qu'en est-il donc de son propre pays ? Nova trouve une caméra centrale, dans le Hardangervidda. Malgré la saison avancée, les bouleaux ont encore des feuilles. Au-dessus volent des mouettes et des corneilles. Elle zoome sur la bruyère et le sol forestier. Un mulot surgit entre les troncs blancs des arbres, et voici un renard roux qui vient l'attraper !

Il reste encore quelque chose de la nature, mais ce ne sont que des reliquats de la diversité, des miettes de la table des riches, et elle refuse de s'en satisfaire. Elle estime avoir droit à une nature intacte. La nature dans laquelle elle vit n'est pas censée être trouée comme du gruyère.

Nova décide de passer le restant de la journée à ne regarder que des photos et films du début du siècle. En quelques secondes à peine, elle place un filtre sur son accès à Internet. Elle choisit pour limite le 12 décembre 2012, ce qui implique une censure sévère. À partir de maintenant, elle ne peut télécharger que les sites créés avant cette date. Aujourd'hui, elle va donc dévorer images et vidéos des terres sauvages avant le 12/12/2012. Quelles merveilles étaient encore certaines régions du monde à cette époque ! Et quelle merveille que ce jour qui s'annonce ! Dans la foulée, Nova éteint l'appli de l'Union pour la conservation de la nature et ses incessantes mises à jour. Elle la rouvrira demain. Quitte à ce que les alertes s'enchaînent un peu plus vite, car elle ne tolère pas que ne serait-ce qu'un mollusque ou une violette soient déclarés éteints sans qu'elle le sache. Elle n'a pas choisi la limite du 12/12/12 par hasard. C'est à peu près à ce moment-là que les écosystèmes ont commencé à s'effondrer pour de bon. Et puis… cette date correspond au seizième anniversaire de son arrière-grand-mère.

Nova se met à surfer sur ARKIVE et commence par les hominidés. Elle a des fourmillements dans le ventre dès l'apparition des premières images de bonobos. Ils sont si drôles à regarder qu'elle ne peut s'empêcher de rire. C'étaient des animaux, mais ils ressemblaient tant aux humains ! Ils avaient leur individualité, des personnalités aussi différentes les unes des autres que nous. Quelques petits s'amusent dans les buissons ; à peu de chose près, ils jouent comme des petits d'hommes. Dire que des créatures aussi singulières ont vécu sur le globe terrestre ! Sur le grand écran au plafond, Nova visionne aussi des vidéos de gorilles. Ces animaux-là constituaient le pont même qui nous relie à la nature. Certains ont l'air fort mélancoliques. Peut-être parce que, d'une certaine façon, ils comprennent qu'ils sont en train de disparaître. Aujourd'hui, en tout cas, ils ne sont plus là et ils ne reviendront plus. Nova regarde quelques vidéos de ces orangs-outans aux poils roux. Ils sont originaires de Bornéo et de Sumatra. Houp là ! La voilà témoin d'une maman orang-outan qui met son enfant au monde ! Le petit semble en bonne santé et plein de vitalité, mais il s'agit peut-être de l'un des derniers orangs-outans nés en liberté…

Quand son arrière-grand-mère était jeune, elle pouvait voir les mêmes enregistrements, qui sont depuis restés stockés sur ARKIVE. Toutefois Olla, comme ils l'appellent, avait aussi parlé avec des gens qui avaient fait des safaris en Afrique et vu des grands singes de leurs propres yeux. Dehors. Dans la nature. Cela ne se produira plus jamais. Il n'arrivera plus jamais à quiconque de voir dans la nature un chimpanzé ou un gorille vivants.

Nova s'installe confortablement en sachant qu'elle peut choisir parmi des milliers de superbes films d'histoire naturelle. Elle opte pour l'un de ceux de la BBC, avec

David Attenborough comme guide. Ébahie, elle garde les yeux rivés à ces magnifiques plans d'un monde d'antan.

Elle visionne des extraits de films sublimes sur la vie fourmillante autour des grands récifs coralliens. Elle admire des coraux, des mollusques, des écrevisses, des algues, des tortues et des poissons de toutes les couleurs de l'arc-en-ciel. C'est comme si un dieu avait peint à la main chacun de ces poissons. Mais elle a cruellement conscience du fait que tout cela a disparu à jamais. On ne trouve plus de récifs pareils – bien sûr que non, arrêtez donc ! – et ce foisonnement multicolore de poissons coralliens n'existe plus non plus. L'océan est devenu trop acide, car pendant plus d'un siècle, il a été obligé d'avaler des millions de millions de tonnes de CO_2. Ha ! On dirait que dans un coin, un diable a juré : *Maintenant ça suffit ! Que toutes les combustions de pétrole et de charbon étouffent cette étourdissante richesse d'espèces !*

Nova lève les yeux sur l'écran et se retrouve dans ce qui était autrefois la grande forêt équatoriale amazonienne, réduite aujourd'hui à la plus vaste savane du monde. Elle regarde un vieux film culte sur les papillons. Avec leurs dessins piquants, certaines espèces sont si belles qu'elle en a la chair de poule, or la plupart de celles-ci, elle le sait parfaitement bien, n'ont aujourd'hui de réalité que parmi les myriades de mégabits des stocks de données.

Jamais les écrans du monde n'ont diffusé tant de somptueuses images de la nature. Mais jamais la diversité de ce qui reste effectivement de cette nature vivante n'a été aussi pauvre.

Tout ce qui était sur le Net, un siècle plus tôt, est toujours accessible ; tous les mots, toutes les images, toute la musique demeurent dans l'Électrosphère. Dans un article, Nova lit : « Nous n'avons donc pas le droit de laisser une Terre valant moins que celle sur laquelle nous avons nous-mêmes vécu... » Pff ! Elle en découvre un autre : « ... J'imagine le chagrin désespéré de nos propres petits-enfants et arrière-petits-enfants d'avoir perdu à la fois des ressources comme le gaz et le pétrole et de la biodiversité... »

Elle secoue la tête. Ce n'étaient donc pas les mises en garde qui manquaient !

Nova se demande si Olla a écrit quelque chose quand elle était jeune... Avec le filtre imposé, il faudrait qu'elle ait mis en ligne ces pages éventuelles avant ses seize ans. Nova tape « Anna Nyrud ». Après plusieurs tentatives sur différents moteurs de recherche, elle finit par obtenir un résultat. Le texte est écrit sous forme de lettre – une lettre qui lui est adressée à elle !

Chère Nova, est-il écrit. Elle sursaute, mais poursuit sa lecture : *Je ne sais pas à quoi ressemble le monde à l'heure où tu lis ces lignes. Mais toi, tu le sais...*

Comment est-ce possible ? La lettre est datée du 11 décembre 2012, la veille des seize ans d'Olla, et juste un jour avant la limite qu'elle-même a établie. Mais comment Olla a-t-elle pu lui écrire plus de cinquante ans avant sa naissance ?

Elle vérifie le filtre. Il est intact : le terminal ne reçoit aucun signal postérieur au 12/12/12.

Comment Olla a-t-elle su que, plus de cinquante ans après, elle aurait une arrière-petite-fille qui s'appellerait Nova ? Était-elle extralucide ? L'est-elle encore aujourd'hui ?

Nova se lève et déambule dans la pièce. Elle éteint le grand écran au plafond, mais garde sa tablette à la main. Elle se passe un fichier-son, qui lui aussi remonte au début du siècle.

Une voix d'homme déclare : « … Depuis la fin du dix-huitième siècle, les réserves de combustibles fossiles nous tentent comme le génie de la lampe d'Aladin. "Laissez-nous sortir de la lampe", chuchotait le carbone. Et nous nous sommes laissé tenter. Maintenant nous essayons de forcer l'esprit à retourner dans la lampe… »

La pluie cingle la vitre. Nova s'installe sous la pente du toit et essaie de regarder dehors. À travers les gouttes, elle entrevoit la route nationale où se trouvait autrefois une station-service. Il reste encore quelques ruines de béton et des barres en fer rouillées. Les voitures ne passent presque plus dans la vallée, mais les environs sont sans cesse traversés par des caravanes d'Arabes avec des chameaux et des dromadaires. L'Afrique du Nord et le Moyen-Orient ne sont plus habitables et des milliers de réfugiés climatiques migrent vers les régions septentrionales et s'établissent dans le nord du Vestlandet.

Elle s'accroupit et colle son visage au carreau. Pour mieux voir. En bas, sous la pluie, se tient un petit groupe de gens avec trois chameaux bâtés. De la fumée s'échappe d'un feu de camp…

Gyrophares

Anna fut à moitié réveillée par la sirène d'un véhicule de secours. Elle cligna un peu des yeux et vit la lumière bleue de gyrophares lacérer l'obscurité de la pièce. Mais elle ne voulait pas se réveiller maintenant, elle ne *pouvait* se réveiller maintenant. Elle rêvait de quelque chose d'important et devait regagner son rêve pour y régler une affaire…

Ce n'était pas la première fois qu'elle était tirée du sommeil par un véhicule de secours. Quelques semaines plus tôt, Jonas avait passé la nuit dans ce qu'ils appelaient la chambre aux coussins, baptisée ainsi parce que le canapé en était recouvert. Ces coussins avaient été brodés par la vieille tante Sunniva et chaque broderie illustrait un conte célèbre. Quand Anna était petite, elle s'identifiait à chacun des personnages brodés, et quand elle était encore plus petite, ses parents lui en narraient les histoires. Presque tous les soirs, ils lui racontaient un conte de coussin. Il lui avait fallu des années pour être capable de faire la distinction entre ces mots si étroitement apparentés qu'étaient « conte » et « coussin ».

L'autre jour, quand Jonas avait dormi ici, ils avaient donc été réveillés au beau milieu de la nuit par les sirènes hurlantes de véhicules d'urgence qui ne s'étaient pas contentés de passer, mais s'étaient arrêtés un peu plus bas dans la rue. Anna et Jonas n'avaient pas eu besoin de se réveiller l'un l'autre. Ils avaient manqué de se rentrer dedans dans le couloir, avant de dévaler l'escalier pour sortir dans la nuit. Quelques secondes plus tard, les parents d'Anna avaient débarqué à toute allure.

D'autres véhicules avaient continué d'affluer des deux extrémités de la vallée : des voitures de police, des ambulances, des camions de pompiers. Dans les vifs éclairs de lumière bleue, ils avaient aperçu les contours d'un camion-citerne qui avait glissé sur le verglas et s'était renversé. Arrivés sur la route, ils furent refoulés par la police qui avait commencé à fermer la zone. Ils avaient appris plus tard que le risque d'explosion et d'incendie avait été important, car le camion renversé transportait des milliers de litres d'essence que les pompiers avaient dû arroser de mousse.

Un agent de la police municipale leur avait crié, avec fureur presque :

– Rentrez chez vous ! Faites demi-tour, bon sang de bon Dieu !

Ils avaient obtempéré et lentement regagné la maison. Anna et Jonas avaient passé la nuit dans la cuisine à écouter les nouvelles à la radio pendant que la mère d'Anna faisait du chocolat et que son père fumait la pipe devant la cheminée…

Mais cette fois, Anna refusa de se laisser réveiller par la sirène. Elle était en mission dans un autre monde. Elle était en service. Déjà elle se rendormait et était de retour dans son rêve.

Olla

On frappe à la porte, puis quelque chose semble glisser dans la chambre. Nova se retourne et aperçoit Olla. Qui porte un vêtement du matin, un kimono bleu.

Nova s'assied au bord du lit et regarde la vieille dame. Elle reconnaît un détail et capte un je-ne-sais-quoi de mystérieux et d'étranger chez elle. Olla a un petit visage ridé. C'est son anniversaire. Aujourd'hui, elle a quatre-vingt-six ans !

Mais quelque chose a l'air différent, distordu. Un frisson parcourt la vieille dame. Cette aura qui l'entoure, n'est-ce pas celle de la rupture et de la transformation ? Elle porte à l'annulaire son rubis rouge. C'est sûrement lié à cette bague. Son arrière-grand-mère se tient dans la pièce comme un messager d'un autre temps. De deux doigts ridés, elle pince la pierre précieuse rouge.

– Tu es en train de penser au rubis, dis-moi, Nova, observe-t-elle.

Nova acquiesce. Olla sait lire dans les pensées. Dans les siennes, en tout cas.

La vieille dame va chercher une chaise devant le bureau et s'assied en face de Nova.

– Aujourd'hui, je vais te parler des oiseaux qui vivaient dans la montagne, dans le temps. Tu sais, j'entends encore la mélancolie du chant flûté du pluvier doré.

Nova éprouve une certaine réticence. A-t-elle envie d'écouter ? A-t-elle la force d'écouter encore cette vieillarde ?

Pleine d'amertume, elle répond à mi-voix :

– Tu n'as pas besoin de me raconter quoi que ce soit. Il faut juste que tu me dises comment tous ces oiseaux peuvent revenir.

Elle lève les yeux sur son arrière-grand-mère. Le visage de la vieille dame témoigne d'un profond chagrin. Ou de sa colère. Peut-être s'agit-il de colère…

Mais Nova est impitoyable.

– Et puis je voudrais aussi qu'on me rende les grands singes, les lions et les tigres. Je veux qu'ils soient *réinstallés*, tous. Ça ne devrait pas être sorcier à comprendre. Je veux le retour de l'ours et du loup. Et de ce drôle de perroquet de mer, le macareux, et du courlis cendré, ne va pas l'oublier ! Et du raisin d'ours alpin, de la véronique des Alpes, de la renoncule des glaciers et du saule herbacé. Quand tu disais que le saule herbacé était un arbuste même s'il n'atteignait qu'un à cinq centimètres de haut, c'était vrai ? Ou c'était juste un truc que tu disais comme ça ?

La vieille dame a un tressaillement dans les épaules.

– Mais Nova…

– Tu sais ce que je voudrais ? Tu veux que je te le dise ? Je voudrais qu'on me rende tout un million d'espèces animales et végétales. Ni plus ni moins, vieille mère. Je voudrais boire de l'eau du robinet potable. Je voudrais être au bord de la rivière avec une canne à pêche. Et puis je voudrais que ce temps hivernal sirupeux se termine.

– Nova, enfin. Nova !

– Je dis juste que je voudrais pouvoir vivre dans un monde aussi merveilleux que celui dans lequel tu folâtrais quand tu avais mon âge. Et tu sais pourquoi ? Parce que tu me le dois !

– Arrête, Nova !

– Tu préfères que je te chasse dans les bois ? Donne-moi donc juste le monde. Donne-moi un troupeau de rennes sauvages dans le Hardangervidda, un autre dans le Jotunheimen et un autre encore dans le Rondane. Fais ce que je te dis. Sinon, tu peux aussi bien te lever et partir.

– Nova…

– Tu sais, j'aurais voulu que l'humanité et tout ce qui pousse sur cette planète puissent avoir une autre chance. Malin, non ? D'ailleurs, ce ne serait pas trop demander. Ça pourrait être comme dans les concours de tir. Si on rate le premier coup, on a le droit à une seconde chance. Je veux juste que tu me rendes le monde. N'est-ce pas là, pour une fois, une sacrément bonne idée ? Parce que quand on a fait quelque chose de bête, on n'est pas censé se contenter de se vautrer dans la culpabilité et la honte. On est censé se relever tout de suite pour réparer ce qu'on a détruit. Sois donc une gentille et bonne arrière-grand-mère et rends-moi toutes les plantes et tous les animaux, Olla. Ensuite, on pourra parler du chant des oiseaux.

L'espace d'une petite seconde, elle sonde les yeux de son arrière-grand-mère qui vibrent légèrement, apeurés et tristes. Mais Nova s'interrompt.

– Qu'est-ce que je raconte, là ? C'est n'importe quoi ! C'est impossible de changer quoi que ce soit. N'est-ce pas, Olla ? À moins que tu ne veuilles me dire qu'il existe une lampe magique qui pourrait nous aider ?

Olla essaie de se redresser sur sa chaise. Elle semble craindre que son arrière-petite-fille ne la frappe au visage. Le poing serré. Fort.

Mais la vieille dame répond :

– Oui, ma chère Nova. C'*était* quelque chose de ce goût-là que je voulais dire.

– Quoi donc ?

La vieille dame se remet à tripoter son rubis mystérieux. Elle lance un regard rêveur sur son arrière-petite-fille.

– Nous allons peut-être avoir une nouvelle chance…

Pauvre Olla. Que dit-elle là ? Elle parle pourtant d'une manière si convaincante que Nova se laisse entraîner.

– Comment cela ? chuchote-t-elle. Est-il possible d'inventer quelque chose de vraiment intelligent ?

Les yeux d'Olla scintillent. Elle hoche la tête avec détermination et esquisse un sourire rusé. Nova et elle sont copines. Bien sûr qu'on peut être copine avec sa propre bisaïeule. Elle a eu seize ans, un jour, elle aussi. Qui n'a pas eu seize ans ? Mais que pourraient-elles inventer ? Nova contemple les murs rouge sang, Olla dans son kimono bleu.

– Nous pourrions peut-être crier dans le passé et demander à ceux qui ont vécu avant nous d'avoir quelques égards pour leurs descendants. Il faut juste veiller à crier suffisamment fort pour qu'ils nous entendent.

La vieille dame secoue la tête.

– C'est impossible, bien entendu. Mais je crois que j'ai une autre idée.

– Raconte-moi, alors. Tu veux dire quelque chose de surnaturel ?

– Je ne sais pas, mon enfant. Peut-être est-ce tout à fait naturel.

Nova sourit de toutes ses dents.

– Je crois que je comprends, s'exclame-t-elle. Tu vas essayer d'établir une sorte de contact avec ceux qui ont vécu sur Terre avant nous pour pouvoir les mettre en garde. Tu peux leur « transférer » l'avenir qui adviendra si l'humanité ne cesse pas son exploitation outrancière de la nature. Allez, raconte-moi, Olla. C'est ce que tu vas faire ?

La vieille dame hoche la tête d'un air énigmatique.

Nova réfléchit, puis se lève du lit et arpente la pièce. Elle jette encore un coup d'œil sur la route nationale par l'étroite fenêtre. Les dromadaires sont toujours là, avec un petit groupe de personnes...

– C'est impossible, murmure-t-elle. Nous ne pouvons pas rétablir une nature complètement désaxée.

– Tu en es sûre ? tente la vieille dame avec un sourire engageant, tout en jouant avec son rubis.

– C'est le rubis ? Ça a un rapport avec cette vieille *escarboucle* ? Ma gentille petite arrière-grand-mère... est-ce ce rubis qui va nous rendre le renne sauvage ?

La vieille femme acquiesce encore et la jeune fille rit.

– C'est ce que je pensais. J'ai toujours su que cette vieille pierre précieuse avait je ne sais quoi de mystérieux. Puis-je rallonger la liste de mes revendications ? Pourrais-je aussi récupérer le grand-duc d'Europe ? Juste deux ou trois, dis, s'il te plaît. Et des loutres, bien sûr, et des azurés des orpins...

Impossible pour Nova de s'en tenir là. Elle réfléchit vite, car cet instant est merveilleusement étourdissant. Toute une avalanche de souhaits pourraient se réaliser l'un après l'autre, comme lors d'une pluie d'étoiles filantes. Mais qui peut penser aussi vite que tombent les étoiles ? Elle prend son élan :

– Pourrais-je récupérer un million d'espèces végétales et animales ?

– Oui, chère amie.

Nova ajoute, comme pour assurer ses gains :

– Et puis les biotopes ! Ça ne sert à rien de sauver une espèce en faisant du « deux par deux », ne te fais pas plus bête que tu n'es, Olla. Les plantes et les animaux doivent avoir de quoi vivre, ils doivent se sentir bien, il faut donc remettre en place les forêts équatoriales, corriger l'acidification des océans, baisser de quelques degrés la température en haute montagne, et arroser et rétablir la savane africaine... Mais ça... comment est-ce possible !

Olla tient sa bague rouge et, d'une superbe voix, presque enchanteresse, elle déclare :

– Tu vas bientôt retrouver la Terre telle qu'elle était quand j'avais ton âge, mais il faut promettre de bien t'en occuper. Car nous allons maintenant avoir une nouvelle chance. Dorénavant, nous devrons être constamment sur nos gardes, car nous n'en aurons pas d'autre.

Ses mots commencent à sonner creux, comme s'ils étaient engloutis tout au fond d'une grande cave, ou crachés des profondeurs d'une vaste grotte.

Olla a encore des choses à dire :

– Et puis nous nous reverrons dans soixante-dix ans. Et c'est toi, alors, qui seras jugée.

Nova se sent lasse. Se faire entraîner dans le plus grand tour de magie du monde l'a anéantie.

La pièce se met à tanguer et Olla a un sourire enfantin, bien trop enfantin pour une si vieille dame. Elle appuie sa tête contre le dossier de la vieille chaise sur laquelle elle est assise – on croirait qu'elle s'est installée pour mourir. Puis, elle se met à chanter d'une voix rauque – on dirait qu'elle chante dans un sabbat de sorcières ou quelque chose dans ce goût-là. Dans un râle presque, elle module :

– « Tous les oiseaux, tout petits, sont… à présent revenus ! Coucous et carduelis, turdidés et étourneaux… tous les jours chantent bien haut ! Les mélèzes se dressent droit dans le ciel… et annoncent le printemps nouveau. Gel et neige ont dû s'en aller. Place maintenant au soleil et à la joie[1] ! »

1. Paroles d'une chanson pour enfants norvégienne. (N.d.T.)

Les boîtes rouges

Anna se réveilla brusquement en écarquillant les yeux. Sa chambre avait une odeur inhabituelle d'air vicié, de renfermé. Elle alluma et regarda vers le haut, les murs et le plafond en pente avec son papier peint bleu pâle.

Elle avait rêvé…

Quel rêve singulier, si énigmatique et plein de promesses !

Dans ce rêve, elle vivait dans des temps à venir et occupait la même chambre qu'aujourd'hui, si ce n'est que les murs étaient rouge sang et qu'un grand écran plat connecté à Internet était encastré dans le plafond, au-dessus de son lit.

Elle entendit les mésanges au-dehors. Quand il faisait beau, il leur arrivait de gazouiller même en hiver. Mais voilà qu'un moteur de voiture vrombissait à la station-service. Une portière claqua. Une autre voiture arriva de l'ouest. Et encore une, à vive allure.

Elle se prit le doigt et sentit l'anneau au rubis rouge. C'était un objet ancien qui était dans la famille depuis près d'un siècle, depuis que la vieille tante Sunniva, qui vivait alors en Amérique, l'avait reçu de son fiancé. Lequel, quelques semaines à peine après les fiançailles, s'était noyé dans le grand fleuve Mississippi dans des circonstances mystérieuses.

Cette pierre précieuse pourpre était souvent appelée « vieille escarboucle », comme si elle avait un caractère magique, comme si elle était une merveille qui leur survivrait à tous. Depuis la veille, c'était Anna qui la possédait. Elle l'avait héritée de sa grand-mère maternelle, morte l'année précédente, qui elle-même l'avait héritée de sa tante sans enfants, la vieille tante Sunniva donc.

Quelque chose, dans son rêve, avait tourné autour de cette bague, justement…

Anna avait rêvé qu'elle se nommait Nova et avait une vieille arrière-grand-mère du nom d'Anna, qui, en outre, était née le même jour qu'elle. On était aujourd'hui le 11 décembre 2012 et ce serait demain son seizième anniversaire !

Cette arrière-grand-mère appelée « Olla » par ses descendants portait à l'annulaire une bague en or sertie d'un rubis tout à fait identique à celle qu'Anna avait actuellement au doigt. Bien sûr, puisqu'il s'agissait de la même bague – et du même doigt ! Dans son rêve, elle avait été sa propre arrière-petite-fille, et s'était vue comme une vieille bisaïeule à travers le regard de celle-ci !

Qu'Anna rêve qu'elle était sa propre arrière-petite-fille n'avait en soi rien de très remarquable – elle avait une fois rêvé qu'elle était Napoléon, et une autre, qu'elle était une oie. Mais toute cette histoire n'avait-elle véritablement été qu'un rêve ? Anna n'en était pas sûre. Tout ce qu'elle avait rêvé semblait si proche et si vrai – et pas seulement pendant qu'elle rêvait, mais encore maintenant, bien après son réveil.

Quelques générations plus tard, de nombreux biotopes naturels étaient décimés, et des milliers d'espèces végétales et animales éteintes. Pleine d'amertume et de haine, elle s'était adressée à sa vieille arrière-grand-mère en exigeant de retrouver un monde *entier*, une nature aussi riche et aussi diverse que celle qu'elle avait connue au début du siècle. Puis un miracle s'était produit, car soudain *c'était* le début du siècle, et toutes les mauvaises choses qui s'étaient produites à partir des seize ans de l'arrière-grand-mère étaient arrangées. Anna avait été projetée soixante-dix ans en arrière. Elle en éprouvait encore la sensation physique. La planète et elle s'étaient vu donner une nouvelle chance, et toute cette histoire avait un rapport avec l'énigmatique anneau.

Quelle journée ! On aurait dit qu'elle se tenait au seuil d'une nouvelle ère. Car à présent, tout pouvait recommencer ! Le monde était neuf, il était flambant neuf et pardonné, et toutes les espèces disparues étaient *réinstallées*. Tout un million d'espèces étaient regreffées dans leurs biotopes.

Ce million d'espèces n'en restaient pas moins en grand danger. On avait produit à leur sujet une multitude de rapports inquiétants. Mais il n'était pas encore trop tard pour sauver la biodiversité de la Terre. Le monde venait d'obtenir une chance supplémentaire !

La mystérieuse lettre que Nova avait trouvée sur Internet lui revint à l'esprit. C'était un texte qu'Anna avait écrit à sa propre arrière-petite-fille, bien longtemps avant sa naissance. Mais qu'avait-elle donc écrit ?

Elle bondit de son lit, fit les deux pas qui la séparaient de son bureau, s'assit sur la chaise et alluma son ordinateur. Maintenant, elle ne devait penser à rien d'autre. Elle devait être pleinement concentrée afin de se souvenir, le mieux possible, de la longue lettre qu'elle avait elle-même rédigée un peu plus de soixante-dix ans avant qu'elle arrive à destination.

L'ordinateur était prêt !

Elle écrivit : *Chère Nova, je ne sais pas à quoi ressemble le monde à l'heure où tu lis ces lignes. Mais toi, tu le sais. Tu sais quelle a été l'ampleur des dégâts climatiques, à quel point la nature a régressé et peut-être exactement quelles espèces végétales et animales ont disparu...*

Elle ne se rappelait rien d'autre. La lettre avait été longue et substantielle, et elle se dit que d'autres passages lui reviendraient peut-être dans le courant de la journée. Elle nomma le document « Lettre à Nova » et l'enregistra.

Elle jeta un coup d'œil vers l'étroite fenêtre et découvrit un jour de décembre radieux. Cela tombait bien puisqu'elle n'avait pas cours, mais elle ne pouvait se résoudre à planifier quoi que ce soit pour l'instant. Le soleil venait de se lever et projetait de longues ombres sur le paysage enneigé ; pourtant, la journée devrait attendre. Elle était complètement absorbée par le rêve qui fermentait encore dans sa tête. Il lui paraissait aussi réel que le jour d'hiver au-dehors. Et plus chaud.

Elle baissa les yeux sur son bureau. S'y trouvaient quelques exemplaires écornés de *L'État du Monde* de l'institut Worldwatch, une « liste rouge » récente des espèces menacées en Norvège, un petit livre sur le changement climatique, et puis le beau livre *A Gap in Nature*, sous-titré *Discovering the World's Extinct Animals*, que son père venait de rapporter d'Australie.

Des étagères surplombaient son bureau, et sur celle du bas se trouvaient deux boîtes à chaussures qu'Anna avait doublées de papier cadeau rouge. Sur l'une était inscrit *Qu'est-ce que le monde ?*, sur l'autre *Que faut-il faire ?* Elle y avait réuni diverses coupures de presse, ainsi que des documents trouvés sur Internet.

Internet !

Dans son rêve, Nova avait lu des extraits des articles des boîtes rouges. Dont un qu'Anna avait découpé pas plus tard qu'hier pendant que ses parents regardaient le téléfilm sur le capitaine Cook.

Elle se leva de sa chaise, prit les boîtes sur l'étagère et les déposa sur son bureau. Elle passa rapidement en revue les articles et ne tarda pas à mettre la main sur ce qu'elle cherchait :

> Un fondement essentiel de toute éthique a été la règle d'or ou principe de réciprocité : traite les autres comme tu voudrais être traité. Mais la règle d'or ne peut plus avoir simplement une dimension horizontale, à savoir un « nous » et « les autres ». Nous commençons à nous rendre compte que le principe de réciprocité a aussi une dimension verticale : traite la *génération* suivante comme tu aurais voulu que la génération précédente te traite.
>
> C'est aussi simple que cela. Aime ton prochain comme toi-même. Ce précepte doit bien entendu inclure la génération suivante. Cela doit inclure absolument tous ceux qui vivront sur la Terre après nous.
>
> Car les hommes sur Terre ne vivent pas tous en même temps. L'ensemble de l'humanité ne vit pas en une fois. Des hommes ont vécu ici avant nous, certains vivent maintenant, d'autres vivront après nous. Mais ceux qui viendront après sont nos prochains aussi. Nous devons les traiter comme nous aurions voulu qu'ils nous traitent s'ils avaient vécu sur cette planète avant nous.

La loi est aussi simple que cela. Nous n'avons pas le droit de laisser un globe terrestre qui ait moins de valeur que celui sur lequel nous avons nous-mêmes vécu. Moins de poissons dans la mer. Moins d'eau potable. Moins de nourriture. Moins de forêt tropicale. Moins de nature montagneuse. Moins de récifs coralliens. Moins de glaciers et de pistes de ski. Moins d'espèces animales et végétales…
Moins de beauté ! Moins de merveilles ! Moins de splendeur et de joie !

Pff ! La lecture de ce texte laissa Anna complètement exsangue. C'était la troisième ou quatrième fois qu'elle le lisait, et son arrière-petite-fille avait donc trouvé ces mots précis sur Internet dans soixante-dix ans ! Car tout ce qui était sur Internet aujourd'hui y serait certainement à jamais. Tous les mots, toutes les images de notre temps restaient en suspens dans l'Électrosphère.

Nos pauvres descendants, songea-t-elle, qui non seulement allaient devoir accepter de vivre sur une planète patraque, en conséquence de l'égoïsme et de l'irréflexion des générations précédentes, mais qui, en plus, auraient à vivre avec toutes ces mises en garde. « Aime ton prochain comme toi-même. Ce précepte doit bien entendu inclure la génération suivante… » Il n'était pas étonnant que les générations futures soient choquées de lire de telles injonctions venues d'un passé lointain – bien, bien longtemps avant qu'il soit trop tard pour faire quoi que ce soit.

Mais ce n'était pas tout. Nova avait découvert autre chose sur Internet. Anna feuilleta rapidement les papiers de *Que faut-il faire ?* et finit par trouver le bon.

Le problème du climat comme ceux liés à la disparition de la diversité biologique ont à voir avec l'avidité. Mais l'avidité n'est en général pas un motif de préoccupation pour les avides. L'histoire ne manque pas d'exemples pour le prouver.

Partant du principe de réciprocité, nous ne devrions nous permettre d'utiliser des ressources non renouvelables que dans la mesure où nous prenons en parallèle des dispositions pour que nos descendants puissent s'en sortir sans ces mêmes ressources.

Répondre aux questions d'éthique n'est pas nécessairement très difficile. Ce qui souvent fait défaut, c'est notre capacité à nous conformer à ces réponses.

J'imagine le chagrin de nos propres petits-enfants et arrière-petits-enfants d'avoir perdu à la fois des ressources comme le gaz et le pétrole et de la diversité biologique : Vous avez tout pris pour vous ! Vous ne nous avez rien laissé !

Vous avez tout pris pour vous...

Anna s'était réveillée agitée, au sortir d'un rêve intense qui continuait de bouillonner dans sa tête. Si seulement cela n'avait été qu'un rêve...

Elle en vint à penser à Jonas. Elle lui avait promis de l'appeler dès son réveil. Mais il attendrait. Elle devait essayer de se remémorer encore ce rêve, et à présent lui revenait une émission que Nova avait écoutée en marchant dans sa chambre.

Anna savait qu'elle avait eu la transcription de ce fichier sonore dans une de ses grandes boîtes. Mais où était-elle donc à présent ? Elle fouilla dans les deux boîtes, en vain. Elle devait *oublier* quelque chose, mais quoi ? Avait-elle eu une raison particulière de ne pas ranger ce document précis ? Le voile commençait à se lever et bientôt elle sortit un vieux livre de la bibliothèque. Il s'intitulait *Arabian Nights* ; c'était une édition anglaise des *Mille et Une Nuits*. Anna avait dû vérifier quelque chose dans ce livre et la transcription qu'elle cherchait y était restée comme marque-page.

À tous égards, nous vivons une époque exceptionnelle. D'une part, nous faisons partie d'une génération triomphante qui explore l'univers et séquence le génome humain, et d'autre part, nous sommes la première génération à détruire pour de bon l'environnement de notre propre planète. Nous voyons comment les activités humaines usent les ressources naturelles et font s'effriter des habitats. Nous transformons notre environnement au point qu'il est devenu monnaie courante de parler de notre temps comme d'une toute nouvelle époque géologique, à savoir l'*anthropocène*. Dans les plantes et dans les animaux, dans la mer et dans le pétrole, dans le charbon et dans le gaz se trouvent d'énormes réserves de carbone que cela démange de s'oxyder et de filer dans l'atmosphère. Sur une planète morte comme Vénus, le CO_2 constitue la plus grande part de l'atmosphère, et ce serait même la situation sur Terre si les processus terrestres ne tenaient le carbone en respect. Mais depuis la fin du dix-huitième siècle, les réserves de combustibles fossiles n'ont cessé de nous tenter, comme le génie de la lampe d'Aladin. « Libérez-moi de la lampe », chuchotait le carbone. Et nous nous sommes laissé tenter. À présent, nous essayons de forcer l'esprit à retourner dans la lampe. Si tout le pétrole, tout le charbon et tout le gaz qui existent encore sur cette planète sont pompés et déversés dans l'atmosphère, notre civilisation ne survivra peut-être pas. Et pourtant, beaucoup considèrent comme un droit divin d'extraire et de brûler tous les combustibles fossiles se trouvant sur leur territoire national. Pourquoi ne serait-il pas tout autant le droit le plus strict de la forêt tropicale de faire ce que bon lui semble de ses arbres ? Quelle est la différence ? Quelle différence cela ferait-il par rapport au bilan carbone mondial ? Et quelle différence cela ferait-il par rapport à la perte de biodiversité ?

Anna alla à la fenêtre qui donnait sur la vallée et baissa les yeux vers la station-service animée. Elle fut frappée par l'idée qu'elle ressemblait à un fossile vivant : si démodée, si surannée, comme sortie d'un tout autre temps, et cependant elle demeurait en pleine activité !

Elle eut une autre réminiscence de son rêve…

Le parapluie

Il pleut à verse et Nova descend la pente escarpée sous un parapluie rouge. Qui est si grand qu'il pourrait abriter tout un jardin d'enfants. Sur le versant opposé de la rivière, elle voit tous les glissements de terrain qui ont eu lieu sur la colline, et aperçoit la route nationale qui passe plus haut.

Elle descend jusqu'au carrefour où se trouvait autrefois la station-service. C'est maintenant une sorte de relais de poste. C'est ici que s'arrêtent généralement les Arabes avant de franchir la montagne. Les dromadaires s'y abreuvent et les hommes s'y nourrissent et s'y reposent. Dans le creux, près de la rivière, brûle un grand feu de camp autour duquel se réchauffe un groupe de gens.

Sous son large parapluie, Nova s'enfonce dans la foule : femmes en robe noire à la cheville et hommes en robe blanche à la cheville. Elle est la seule à avoir un parapluie rouge et il est si large que beaucoup doivent s'écarter pour lui céder le passage, mais certains choisissent de passer plutôt dessous pour lui dire bonjour. Les enfants n'ont même pas besoin de se pencher pour lui offrir de jolies grimaces.

Les gens sont joyeux, ils rient. Un homme jongle avec de vieilles lampes à huile, femmes et enfants tapent dans leurs mains. Les gens du bourg vendent des brochettes d'agneau et des boissons chaudes. Certains vendent aussi des vêtements de pluie et des couvertures en laine. Ils sont payés en pièces d'or.

À l'écart de la foule, un garçon gît sur l'herbe, et Nova demande à l'une des femmes en noir s'il est souffrant. La femme prend une expression inquiète et acquiesce d'un hochement de tête. « *Long journey* », dit-elle. Long voyage.

Rejoignant le garçon sur la pelouse, Nova plante son parapluie rouge au-dessus de lui pour lui épargner au moins d'être détrempé par toute cette pluie. Deux des femmes en noir l'ont suivie. Nova montre du doigt sa maison et indique que le jeune homme peut y dormir.

On l'escorte dans la montée, il est soutenu par les deux femmes en noir. La porte s'ouvre sur Olla, et Nova lui explique que le garçon est malade. Il faut qu'il reste chez eux jusqu'à ce qu'il soit guéri. Elles l'installent dans la chambre des coussins. Peut-être devront-elles appeler le médecin, parce qu'il a probablement besoin de médicaments.

Le pétrole

À la station-service, les voitures se garaient sur le parking et, en règle générale, les conducteurs se contentaient de laisser tourner le moteur pendant qu'ils allaient chercher des hot dogs et des paquets de chips à la boutique. Anna s'irritait de tous ces gaz d'échappement qu'expulsaient les véhicules parfaitement immobiles. Espèces de camionnettes à hot dogs, songea-t-elle. Les gaz d'échappement bleuâtres étaient d'autant plus nets et distincts qu'il faisait froid, peut-être moins dix ou moins douze degrés. Elle n'avait pas de thermomètre extérieur sur sa vitre, mais elle avait appris à estimer la température hivernale selon la couleur et la consistance des gaz d'échappement des voitures.

Elle resta à la fenêtre à réfléchir à ce qu'elle avait lu sur le pétrole. Elle avait consigné quelques chiffres incroyables sur un Post-it jaune, qu'elle tenait maintenant à la main.

Un baril de pétrole équivaut à 159 litres et se vendait actuellement environ 100 dollars, soit 600 couronnes norvégiennes. Un seul baril de pétrole fournit autant d'énergie que 10 000 heures de travail physique. Ce qui, en Norvège, correspondait à pas moins de six années de travail. Avec un salaire annuel de 350 000 couronnes, cela faisait, sur six ans, 2,1 millions de couronnes. Un seul baril de pétrole procurait ainsi une énergie qui aurait coûté plus de 2 millions de couronnes s'il avait fallu la remplacer par du travail physique. Un Américain moyen consommait pas moins de 25 barils de pétrole par an. Ce qui correspondait à 150 années de travail et était à peu près la même chose que si cet Américain avait eu, à tout moment, 150 « esclaves de l'énergie » à sa disposition – pour faire tourner ses voitures et ses machines, ses réfrigérateurs et ses climatiseurs, ses avions, ses usines, ses exploitations agricoles et ses consoles de jeux… Et on ne parlait là que de pétrole ! À cela s'ajoutaient le charbon et le gaz.

Anna s'était demandé si le pétrole n'était pas trop bon marché. Aux États-Unis, cette ressource avait été introduite à peu près au moment de l'abolition de l'esclavage. D'abord, les ranchs texans avaient eu des esclaves d'Afrique de l'Ouest. Puis ils avaient eu du pétrole en abondance…

Seulement 600 couronnes pour six ans de travail physique ! Cela ne faisait guère plus de 100 couronnes par année de travail, ça ! C'était indubitablement ce qui s'appelait un salaire d'esclave.

Comment se pouvait-il que cette ressource soit si peu chère ? Anna avait réfléchi à une réponse. Si le pétrole était si bon marché, c'était parce que personne n'en était propriétaire. Personne ne possédait le pétrole, donc il n'avait aucun prix. Il n'y avait qu'à le pomper !

Le pétrole était vieux de millions d'années. C'était un réservoir de millions d'années d'énergie solaire. Mais comme personne ne le possédait, il pouvait être entièrement consommé en deux temps, trois mouvements. Et ainsi se terminerait l'aventure du pétrole !

Anna baissa les yeux sur son Post-it en secouant la tête.

Il était sûrement vrai, comme les politiques et les ministres de l'Environnement se plaisaient à le souligner, que le pétrole avait tiré bien des gens de la pauvreté. Mais il était tout aussi vrai qu'il avait propulsé bien des gens dans un luxe parfaitement insensé, un gaspillage et une surconsommation sans pareils dans l'histoire.

En plus de son Post-it, Anna tenait une coupure de presse. C'était une publicité pour des voyages en avion. De l'aéroport de Moss, non loin d'Oslo, le vol le moins cher pour Paris ne coûtait que 119 couronnes. Combien de billets étaient à ce prix, elle l'ignorait. Mais ce qui était intéressant, c'était ce qui était écrit en petit : « toutes taxes comprises ». 119 couronnes pour Paris *taxes comprises* ! C'était ce qu'il lui fallait débourser pour quatre billets de tramway à Oslo. Ce qui en revanche n'était *pas* écrit en petit, mais qu'Anna avait lu à un tout autre endroit, c'était que, en termes d'impact sur l'environnement, l'aller-retour Oslo-Paris d'une personne équivalait à une année entière de trajets en voiture pour rejoindre son travail à 6 ou 7 kilomètres de la maison. Anna avait aussi lu qu'un aller-retour Oslo-New York avait le même impact sur l'environnement que 50 000 voitures personnelles en un jour.

Ne consommait-on pas là des ressources qui auraient pu être très utiles aux générations futures ? Ne déchargeait-on pas des batteries qui auraient dû durer bien plus longtemps ? Il ne restait peut-être pas tant d'années avant que le pétrole doive de nouveau être remplacé par des mains zélées, des nuques raides et endolories, des épaules douloureuses ? Autrement dit, Anna n'était-elle pas le témoin du fait que l'on détroussait les générations futures dans les grandes largeurs ?

Car la combustion sur une courte durée de tout ce combustible fossile n'allait-elle pas, dans une large mesure, saper aussi les ressources renouvelables ? Ce festival sans scrupules de pétrole ne constituait-il pas une menace significative pour le fondement même de l'existence des plantes, des bêtes et des humains sur Terre ? Et ces destructions de la nature ne lésaient-elles pas, elles aussi, ceux qui allaient hériter de la planète ?

Anna était toujours à la fenêtre. Dans son rêve, les fermiers avaient vendu des brochettes d'agneau aux réfugiés climatiques qui traversaient constamment le pays, souvent pour tenter leur chance comme commerçants dans le nord du Vestlandet.

Anna ne put s'empêcher de sourire de tout ce qu'elle avait imaginé. En même temps, tout cela semblait si vrai et si réel. Elle n'était pas en mesure de ressentir les souvenirs de l'été dernier en Italie comme plus vrais, et elle était à peine capable de se rappeler ce qu'elle avait fait en classe, la veille.

Mais son rêve ne s'arrêtait pas là. Elle avait le sentiment qu'il était véritablement sans fond. En dormant, elle avait créé tout un univers futur, qui existait parallèlement à la vie qu'elle vivait ici et maintenant. Quand elle saisissait un fil, des écheveaux entiers semblaient venir, des épisodes qu'elle avait vécus soit avant, soit après, voire peut-être en même temps que tout le reste…

Les dromadaires

Le garçon va mieux. Il a son âge, un an de plus peut-être, et ils jouent au Ludo dans la chambre des coussins. Elle a les pions rouges, lui les bleus.

Il raconte que c'est un jeu indien. En Inde, les rois jouaient au Ludo avec des pions vivants : les femmes de leur harem. Ainsi, jusqu'à seize jeunes femmes pouvaient se trouver dans la cour du palais, où les cases du jeu étaient marquées par des carreaux rouges ou blancs.

Le garçon parvient à rassembler trois de ses pions sur une case. Il relance le dé et réussit à faire en tenir quatre les uns sur les autres. Il déclare avoir gagné parce qu'il a eu le « minaret ». S'ensuit un désaccord sur les règles et ils mettent un terme à leur partie…

Dehors, sous le grand hêtre pourpre, ils contemplent la vallée. Un dromadaire qui s'est emballé approche du relais de poste. Le garçon arabe se tourne vers elle :

– Mon arrière-arrière-grand-père voyageait avec des dromadaires. Mon arrière-grand-père roulait en Mercedes et mon grand-père faisait le tour du monde en Jumbo Jet. Maintenant, nous voyageons de nouveau à dos de dromadaire.

Il la regarde pensivement et ajoute :

– Le pétrole a été un désastre pour mon pays. Nous sommes devenus riches d'un coup, mais maintenant nous sommes pauvres. Comment pouvons-nous être riches quand nous n'avons plus de pays où il soit possible de vivre ?

Le garçon va repartir. Un nouveau groupe d'Arabes s'est rassemblé au relais de poste avec son troupeau de dromadaires. La fumée s'élève des barbecues et des fait-touts. Olla sort pour dire au revoir au garçon arabe. Celui-ci retire alors une bague rouge de son doigt et la donne à Olla en remerciement de son hospitalité et de ses bons soins.

Nova est déçue que tous les remerciements aillent à Olla. Mais, à cet instant, le garçon se tourne vers elle et lui caresse les cheveux. C'est la première fois qu'un garçon lui caresse les cheveux. Il lui dit que son arrière-grand-mère est vieille et qu'un jour, c'est elle qui héritera de la bague. Il dit que c'est une véritable bague d'Aladin et qu'elle vient d'un vieux conte des *Mille et Une Nuits*.

Nova scrute les yeux sombres du garçon, d'un noir presque parfait, et devine un profond secret.

Archives

Assise sur un pouf bleu devant l'étroite fenêtre, Anna revint à elle. Elle se sentait totalement anéantie. Elle était de retour à la case départ, soixante-dix ans en arrière. Le monde était comme une moufle réversible qu'elle pouvait mettre des deux côtés. Elle était double. Elle avait seize ans en 2082 et elle aurait seize ans demain.

Ce serait demain son anniversaire. Déjà !

Elle ôta sa bague et joua avec. On disait de ce rubis que sa couleur était celle du sang de pigeon : rouge profond, avec une nuance de bleu. Maintenant, Anna le voyait se refléter élégamment dans la vitre. C'était ce que l'on appelle un rubis étoilé, à la surface duquel scintillait une étoile à six branches mobile.

Elle connaissait parfaitement le parcours de cette bague sur environ un siècle. Mais elle avait aussi entendu des histoires bien plus anciennes. La vieille tante Sunniva avait raconté à sa famille que ce bijou était d'origine persane, mais que la pierre, elle, venait de Birmanie…

Anna s'installa devant l'ordinateur et tapa www.arkive.org. L'instant d'après, elle était connectée sur sa page de prédilection : IMAGES OF LIFE ON EARTH.

Sur l'écran, elle vit d'abord une photo de sir David Attenborough et d'un lynx ibérique. Elle pouvait maintenant choisir parmi des milliers d'espèces animales et végétales celle qu'elle souhaitait étudier et dont elle voulait voir des photos et des extraits de film. Elle pouvait se renseigner sur les zones où vivait une espèce et les comparer avec les aires de répartition du passé.

Nombre d'écosystèmes du globe avaient déjà régressé, et les couloirs entre les zones saines étaient de plus en plus souvent sectionnés. En Afrique, par exemple, les zones occupées par de nombreuses espèces d'animaux et de plantes, qui avaient jadis couvert presque tout le continent d'est en ouest, se réduisaient aujourd'hui à quelques restes épars de forêt vierge. Il en allait de même en Europe, en Asie et en Amérique. La seule différence, c'était sans doute que la destruction de la diversité biologique avait commencé beaucoup plus tôt en Europe que sur les autres continents. Dans les régions centrales d'Europe, il n'existait presque plus de grands prédateurs. Rien qu'en Norvège, on avait abattu plus de 5 000 ours entre 1856 et 1893.

Elle tapa *Hominidae* dans la barre de recherche et eut le choix entre les six espèces de singes anthropoïdes. Il y avait deux espèces de chimpanzés, deux de gorilles et deux d'orangs-outans. L'UICN considérait quatre d'entre elles comme *en danger* et deux *en danger critique d'extinction*. Tous les singes anthropoïdes de la Terre étaient donc soit en danger, soit en danger critique. Par « danger critique », on entendait un risque « extrêmement élevé d'extinction » de l'espèce dans quelques décennies, et par « danger », on voulait dire que le risque n'était que « très élevé ». Merci. Un risque très élevé, c'est tout…

Elle cliqua sur quelques vidéos. Elle avait vu ces images sur le grand écran au plafond quand elle s'était trouvée sur l'envers de la moufle réversible. Mais il s'agissait alors, des dizaines d'années plus tard, d'images d'espèces irrévocablement disparues. La situation actuelle n'était pas encore tout à fait aussi désespérée. Des individus réels vivaient toujours dans la nature, dans une poignée de colonies isolées, dans quelques oasis éparses de biotopes originels.

En même temps, l'humain avait réussi à devenir le mammifère le plus répandu au monde. Il n'existait aujourd'hui aucune autre espèce de mammifères comptant davantage d'individus qu'*Homo sapiens*. C'était bien sûr logique, puisque les humains étaient précisément ceux qui menaçaient d'extinction leurs parents les plus proches, en raison non seulement des forêts abattues et des biotopes perdus, mais également de la chasse et de la pêche illégales.

Anna jeta ensuite un coup d'œil sur certains des grands prédateurs du globe, dont un bon nombre étaient aussi menacés que les singes hominidés. Au cours des cent dernières années, le tigre avait perdu 93 % de son aire géographique. Mais, bien entendu, la réduction de la biodiversité ne concernait pas uniquement les singes et les grands prédateurs. Des milliers d'espèces animales et végétales, probablement des centaines de milliers, étaient menacées par la réduction et la disparition de grands écosystèmes, notamment du fait des changements climatiques occasionnés par les activités humaines.

Elle lança encore un regard au rubis. Au cours de l'existence de cette bague s'était produit un magistral *désenchantement* de la nature du globe. Et où en serait-on dans cent ans ?

Anna avait presque oublié l'autre cadeau qu'elle avait reçu pour ses seize ans. Elle alla chercher son nouveau téléphone sur sa table de chevet et l'alluma. Elle avait reçu un SMS, le tout premier sur son nouveau mobile, et il était évidemment de Jonas.

Tu es réveillée, Anna ? Tu m'appelles ?

La mauvaise conscience la saisit car elle lui avait promis de l'appeler dès son réveil, pourtant elle répondit : *Je suis en plein milieu d'un truc, Jonas. Quelque chose de grand, quelque chose qui a une importance cosmique. Mais je t'appelle bientôt.*

À peine quelques secondes plus tard, une réponse arrivait : *OK. Prends ton temps. J'ai hâte de savoir ce qui a une importance cosmique.*

Sur le téléphone étaient installées plusieurs applis de journaux et d'autres médias. Elle se rendit sur un journal en ligne et cliqua sur l'un des gros titres :

> TOUJOURS RECHERCHÉE. Ester (photo) est toujours retenue en otage en Somalie. Hier matin, Ester Antonsen quittait l'aéroport international de Mogadiscio pour accompagner un grand approvisionnement de denrées alimentaires. Elle était alors en compagnie de deux travailleurs humanitaires, l'une américaine, l'autre égyptien, et des chauffeurs locaux des cinq camions de vivres. Les trois représentants du Programme alimentaire mondial sont maintenant retenus en otages… Depuis la sécheresse de l'an dernier, la Corne de l'Afrique souffre d'une grande famine. Des milliers de personnes sont mortes de faim et un grand nombre de réfugiés ont tenté de fuir cette région frappée par la sécheresse… Les circonstances politiques ont sans aucun doute un rôle à jouer dans les souffrances

de la population, mais les climatologues ne peuvent plus exclure que des catastrophes naturelles comme celle-ci soient également dues au changement climatique occasionné par l'homme…

Anna regarda la photo de la femme norvégienne disparue. Elle devait avoir la trentaine. Mais ne l'avait-elle pas déjà vue ? N'était-ce pas quelqu'un qu'elle avait *rencontré* ? Une remplaçante quand elle était en troisième ? Ou était-ce simplement quelqu'un dont elle avait rêvé ?

Il lui était déjà arrivé de rencontrer des inconnus dont elle était certaine d'avoir rêvé. Elle en avait conclu qu'il était plus sage d'attendre un peu avant de mentionner ce genre de connexions à ces nouvelles connaissances. Elle ne se précipitait plus pour déclarer : « Comme c'est drôle de te rencontrer, j'ai rêvé de toi ! »

Caravane

Nova est assise en hauteur, sur la bosse d'un dromadaire. Quatre autres dromadaires se déhanchent devant elle. On les utilise pour transporter les marchandises des voyageurs, tapis et autres objets artisanaux qui seront vendus sur les grands marchés de Molde et Kristiansund. Parmi ces objets on trouve des colliers de perles et des sachets d'épices, rangés dans de petites poches sur les flancs de ces fiers animaux.

Nova est la seule qui soit en selle. Le dromadaire est mené par le garçon arabe. Elle a les épaules couvertes d'une cape rouge que l'une des femmes lui a offerte, et, trônant là, au-dessus du paysage, elle se sent comme une princesse arabe. Le garçon la regarde en souriant.

– Cheikha ! dit-il.

Elle peut accompagner la caravane sur quelques kilomètres ; ensuite, elle rentrera en prenant le bus électrique à Lo, plus à l'ouest dans la vallée. C'est juste pour s'amuser qu'elle les accompagne, mais elle connaît très bien maintenant le garçon arabe et ni l'un ni l'autre ne pensent qu'il sera facile de se séparer.

La caravane compte environ trente personnes de tous âges. Devant les cinq dromadaires, un homme frappe en cadence sur un tambour en peau de chameau, et une fille de onze ou douze ans va et vient dans le cortège en dansant et en jouant d'une flûte de bambou.

Ils ont traversé le pont et entament la longue marche vers le col. Il ne pleut plus, mais le paysage est détrempé, et l'eau goutte encore des arbres.

Dans la rivière qui se précipite dans la vallée, le niveau de l'eau est menaçant. Pourvu qu'il y ait une interruption de quelques jours avant qu'il se remette à tomber des seaux !

Jamais le pays n'a été aussi chaud, aussi humide et aussi vert qu'aujourd'hui, et jamais les rivières n'ont été aussi brunes. En quarante ans, la population nationale a quintuplé, non pas parce que les naissances ont augmenté, mais parce que de nouvelles vagues de réfugiés climatiques se succèdent sans cesse. Les régions les plus septentrionales du monde sont les seules à tirer certains avantages de ce changement climatique drastique. Et puis, il y reste souvent beaucoup d'espace.

Nova parle au garçon arabe des climato-sceptiques du début du siècle. C'étaient des hommes entre deux âges qui s'évertuaient à rejeter l'idée qu'un réchauffement mondial était en cours. Ou à nier que ce réchauffement était occasionné par l'homme. Et qu'il le soit ou non, nous ne pouvions que nous en réjouir, nous qui vivions si loin au nord...

– C'est ce que j'appelle prendre toutes ses précautions, répond le garçon arabe. Les autruches d'Afrique et du Moyen-Orient avaient parfois si peur de ce qu'elles voyaient qu'elles se cachaient la tête dans le sable. Cette tactique n'a pas toujours été très opérante, et maintenant, elles ont disparu.

Du haut de son dromadaire, Nova rit. Il lui faut presque crier pour se faire entendre :

– Il y en avait qui considéraient que la fonte des glaces en Arctique ne devait pas être un motif d'inquiétude... Après tout, il n'y avait quasiment personne pour y patiner ou y skier... D'autant que sous la glace se trouvaient en outre de grands gisements de pétrole... et que le droit de la Norvège d'exploiter les gisements pétroliers s'étendait presque jusqu'au pôle Nord. Et puis pourquoi maintenir en vie les ours polaires ? Ne suffisait-il pas de sauver les pandas ? Mais les autruches du climat n'avaient pas compris que si la glace fondait, cela annonçait le réchauffement de la planète entière. Et maintenant, me voilà sur la bosse... d'un dromadaire !

Ils arrivent à Lo. Le garçon l'aide à mettre pied à terre, la caravane sera bientôt hors de vue. Le bus électrique devrait arriver d'un instant à l'autre.

Chacun avec sa tablette, ils échangent leurs adresses Skype et se promettent de se revoir. Il lui montre sur la sienne à quoi ressemble le petit émirat d'où il vient. Mais Nova n'est pas en mesure de voir quoi que ce soit : il n'y a que du sable.

– Il n'y a plus de villes ? demande-t-elle.

– Si, si, les villes sont toujours là, mais sous le sable.

Il fouille dans la photothèque de son appareil et finit par dégoter un petit bâtiment solitaire, presque un cube, qui domine le désert d'un mètre ou deux.

– C'est un minaret, explique-t-il.

Le bus apparaît et ils se tapent dans la main alors que Nova monte à bord.

Les listes rouges

Anna resta avec son smartphone entre les mains, à se demander où elle avait pu voir la femme disparue. Était-ce lorsqu'elle s'était promenée dans Oslo avec Jonas ? Ils avaient parlé à beaucoup de monde à la Maison de l'Environnement, quand ils étaient passés chercher des brochures et des conseils pour créer une association écologiste. Était-il vraisemblable que l'une de ces personnes soit en Afrique, un mois plus tard, en mission pour le programme alimentaire de l'ONU ? Ils avaient discuté avec des gens de la Fondation pour la forêt vierge, et avec une femme qui travaillait pour une organisation appelée Fondation pour le Développement. Ces organisations collaboraient-elles avec le Programme alimentaire mondial ? Cela ne collait pas... pas tout à fait.

Elle prit le beau livre australien intitulé *Discovering the World's Extinct Animals*. Il était lourd – un bon kilo, un kilo cinq peut-être – et sur la couverture était dessiné un dodo, ce gigantesque pigeon de l'île Maurice observé pour la dernière fois en 1861. Au tout début, il y avait un dessin de la dernière espèce de moas, exterminée par les Maoris en Nouvelle-Zélande vers l'an 1600, puis suivaient des dessins de tous les mammifères, oiseaux et animaux rampants dont l'extinction avait été confirmée entre 1500 et 1989.

Les dodos et les moas avaient ceci de commun qu'ils ne pouvaient pas voler. Ils n'avaient, en outre, eu aucun ennemi naturel avant l'arrivée sur les îles des hommes, pour lesquels ils avaient été des proies faciles.

Anna avait lu quelque part que les moas avaient encore leur place dans le folklore maori. En Nouvelle-Zélande, ou *Aotearoa* – le nom donné par les Maoris à ce pays insulaire – on pouvait encore entendre la complainte suivante : *No moa, no moa in old Aotearoa. Can't get 'em. They've et 'em. They've gone and there ain't no moa !* Plus de moas, plus de moas dans la vieille Aotearoa. N'en trouve plus. Les ont mangés. Ils sont partis et y a plus de moas !

Dans ce grand livre était imprimé un texte qu'Anna avait aussi lu sur Internet :

> Les listes rouges des espèces menacées font l'objet de publications de plus en plus belles, avec des photos couleurs au piqué exceptionnel d'espèces qui sont soit en *danger critique d'extinction*, soit *en danger*, soit *vulnérables*. Dans quelques années, de superbes ouvrages seront certainement publiés à leur tour avec des photos tout aussi éblouissantes d'espèces totalement éteintes. Il s'agira des mêmes photographies qui, quelques années auparavant, illustraient les listes d'espèces menacées. Et un jour, on qualifiera peut-être ces espèces disparues de « photofossiles », c'est-à-dire d'espèces qui ont juste eu le temps d'être conservées photographiquement avant de s'éteindre avec leurs biotopes.
>
> N'est-ce pas une ironie du sort que la photographie – et le stockage numérique de l'information – se soit intensément développée juste au moment où nous

commencions à détruire la biodiversité de la Terre ? Mais un jour, l'intérêt des garçons pour les fossiles tombera en désuétude pour être remplacé par la rage des galeries de photos d'oiseaux et de mammifères disparus, et nous pourrons nous attendre à une renaissance du loto des images.

C'était complètement dément. Quel droit l'homme avait-il d'exterminer d'autres formes de vie ? Qu'était-ce donc qui n'allait pas chez l'être humain ? C'est ce qu'Anna voulait essayer de découvrir le plus vite possible, et elle avait maintenant une idée.

Elle ouvrit le tiroir de son bureau et sortit la carte de visite du docteur Benjamin. Il lui avait dit de ne pas hésiter à l'appeler. Par acquit de conscience, elle lui envoya d'abord un SMS.

Qu'est-ce qui nous prend, à nous les hommes ? Pourrions-nous en parler ? Quand puis-je vous appeler ? Salutations, Anna (Nyrud).

Il ne mit guère plus d'une minute à répondre.

Tu peux m'appeler maintenant. Je ne travaille pas aujourd'hui. Benjamin.

« Je ne travaille pas aujourd'hui. » Pourquoi avait-il écrit cela ? Eh bien, parce que s'il avait été à l'hôpital, un appel aurait été malvenu, bien sûr. Et pourtant quelque chose lui semblait clocher. Pourquoi le docteur Benjamin semblait-il insister sur le fait qu'il n'était pas au travail ? Et pourquoi ne l'était-il pas ?

Un léger chaos se mit à tourbillonner dans sa tête. Mais avant d'avoir pu y mettre de l'ordre, elle appela le médecin, qui décrocha au bout de quelques secondes.

– Benjamin !

– C'est Anna.

– Bonjour. Comment savais-tu…

– Vous m'avez donné votre carte.
– OK !
– Vous êtes un peu stressé ?
– Oui, naturellement. Pourquoi m'appelles-tu, Anna ?
Naturellement ? Anna ne comprenait pas ce qu'il voulait dire. Mais elle se souvint pourquoi elle avait téléphoné :
– Existe-t-il des examens psychiatriques de l'homme en tant qu'espèce ? Nous détruisons notre propre planète. Pourquoi agissons-nous de la sorte ?
– …
– Allô ?
– Tu as écrit « Qu'est-ce qui nous prend, à nous, les hommes ? » Mais tu n'es au courant de rien ?
– À quel propos ?
– Ma fille.
– Ester Antonsen !
– C'est ma fille, oui. Donc, tu le savais ?
– Non, non. Je viens de comprendre. À l'instant ! Et je comprends encore mieux pourquoi je vous ai appelé. Vous aviez une photo d'elle sur votre bureau… dans un cadre rouge.
– En l'occurrence, c'est une photo de ma femme, il y a presque trente ans.
– C'est vrai ? Alors elles doivent beaucoup se ressembler…
– Eh bien… Mais, continue de parler, Anna. Je suis un peu stressé, en fait, et j'ai besoin de quelqu'un avec qui parler, moi aussi.
– Un psychiatre qui a besoin de patients avec qui parler ? C'est étrange.
– Ce sont les complexités de l'esprit humain.
– De quoi voulez-vous parler ?
– As-tu eu la visite de rennes, ces derniers temps ?

Elle rit.

– Oui, sans arrêt, et je crois qu'ils m'espionnent… pour le compte du père Noël.

– Ils essaient peut-être de savoir ce que tu voudrais comme cadeau ?

– Peut-être… Je crois que ça va bien se passer pour Ester, et ce n'est *pas* parce que je crois au père Noël. Vous aussi, vous devez être positif, docteur Benjamin. Vous ne rendez pas service à votre fille en cédant au désespoir. Et puis, vous pourriez avoir besoin de forces dans les jours à venir.

– Tu as raison, Anna. C'est un bon conseil.

– Je crois qu'elle fait un travail important pour le Programme alimentaire mondial. C'est important qu'il existe des *âmes engagées*.

Anna se rappela soudain pourquoi elle avait téléphoné.

– Et l'examen psychiatrique de l'humanité, nous pourrions peut-être le reporter à une autre fois ? Je vous raconterai des rêves complètement déments que j'ai faits. J'ai rêvé que j'étais ma propre arrière-petite-fille et que je me voyais moi-même en vieille arrière-grand-mère. Mais ça aussi, nous pouvons le garder pour une prochaine fois.

– D'accord, Anna. Merci d'avoir appelé.

– Je suivrai l'actualité, docteur Benjamin.

– Benjamin… ou docteur Antonsen.

– D'accord, docteur Antonsen. Je veux dire, Benjamin ! J'aurais dû lire un peu plus attentivement votre carte. Mais maintenant, c'est bien clair.

– Porte-toi bien, au revoir !

– Vous aussi. Je penserai à vous !

Nuit d'hiver

Nova est assise dans une petite clairière, sous le ciel étoilé qui scintille. Sa tablette sur les genoux, elle surfe et zappe pour découvrir ce qui est arrivé à sa Terre. Elle veut voir les destructions. C'est pour cela qu'elle s'est sauvée dans la forêt. Elle veut voir le monde se désagréger. C'est une activité si honteuse qu'elle ne peut pas s'y livrer dans sa chambre. Quelqu'un pourrait la surprendre. *Maintenant, il faudrait voir à arrêter de te lamenter, Nova !*

Elle fixe l'écran, se déplace dans le monde par effleurements et tapotements sur le clavier, de lien en lien. Elle trouve tout ce qu'elle cherche. Elle dispose d'un éventail d'applis qui rassemblent tous les aspects de la destruction de la nature.

La planète est surveillée par des webcams, et elle laisse son regard aller d'une moraine frontale à l'autre, au gré du retrait des glaciers. De film en film, elle revit la sécheresse qui a progressivement gagné l'Afrique, l'Amérique, l'Australie et le Moyen-Orient. La vérité est quadridimensionnelle. Elle voit des détails terriblement nets du monde naturel jadis si luxuriant et si varié pour, l'instant suivant, assister à la mise en place d'un processus qui, de bout en bout, n'est qu'un seul et unique nivellement. Elle constate comment des régions, des pays, des continents entiers ont perdu leur richesse d'espèces et leur enchantement. C'est facile avec la technologie androïde ; ses doigts agiles dansent sur l'écran, mais la danse est macabre.

Elle a accès à tous les bulletins d'informations, tous les reportages et documentaires du monde, et les applis font le tri de ce qu'elle visionne et vit selon des critères qu'elle définit elle-même. Elle a un *access to everything*. Il y a *no borders on the planet. No borders of perception. She's dropping electronics. She's online. She's hooked online.* Il n'y a pas de frontières sur la planète. Pas de frontières de la perception. Elle abandonne l'électronique. Elle est en ligne. Elle est accro en ligne.

Elle zoome en avant et en arrière. La tablette est une machine à remonter le temps. Les sensations sont absorbées entre ses tempes. L'appareil est doté de bons haut-parleurs, et de nombreuses impressions atteignent l'âme par les oreilles. Non seulement elle voit les hommes abattre les forêts tropicales, mais en plus elle entend les tronçonneuses. Elle voit l'œuvre des flammes et entend le crépitement du feu. Elle voit des images effrayantes d'ouragans et de cyclones, et entend le fracas de l'eau, le hurlement du vent et les cris et sanglots des gens.

Elle suit avec attention la diminution progressive de la population mondiale, les millions de gens qui sont emportés par la faim et les catastrophes climatiques, les millions de gens qui meurent dans des guerres désespérées pour conquérir le reste des ressources naturelles, du poisson et des terres fertiles. Aucun véritable recensement n'a été effectué depuis le début de la débâcle. Mais on estime que la population mondiale est aujourd'hui bien en deçà du seuil d'un milliard d'habitants.

Aucun des paysages dans lesquels évolue le regard de Nova n'est imaginaire. Il lui faut simplement penser à tenir compte des deux coordonnées du jeu : le temps et l'espace. L'Amazonie de l'an 1960 n'est pas l'Amazonie de l'an 2060. Le Serengeti de l'an 2080 n'est pas le Serengeti de l'an 1980. La planète Terre de l'an 2082 n'est pas la planète Terre de l'an 2012.

Anno Anna n'est pas Anno Nova. Il n'est plus moins une. Il est l'heure... il est l'heure...

Elle retourne une dernière fois dans le monde tel qu'il était, dans les interminables forêts vierges, savanes et récifs coralliens. Mais ces écosystèmes alors intacts n'existent plus. C'est pourquoi les voir briller ainsi sur l'écran lui fend le cœur à ce point. C'est comme si Nova contemplait des images d'une autre planète que son propre globe terrestre aride et désolé.

Elle pleure. Elle éteint la tablette et, l'espace d'un instant, tout est d'un noir d'encre autour d'elle. Mais dans les hauteurs de la voûte céleste, des milliers de soleils lointains percent de minuscules trous dans la nuit. Elle lève les yeux sur la large ceinture d'étoiles de la Voie lactée. Le ciel fourmille de soleils comme le sien. Ils sont si loin, cependant, qu'ils ne la concernent pas, et elle ne trouve en eux aucune consolation.

Peut-être n'existe-t-il de vie intelligente que sur sa planète à elle. Et quand il n'y vivra plus d'humains ? Toutes les étoiles et les planètes existeront-elles simplement dans l'espace sans que quiconque sache qu'elles existent ?

Elle se ressaisit et décide de ne pas pleurer. Elle décide de ne pas être triste. Elle ne veut pas faire à ceux qui sont responsables de ce qui est arrivé à sa planète le plaisir de la voir pleurer ou d'être accablée.

Le patrimoine mondial

Anna surfa sur Internet pour lire des articles sur la prise d'otages. Rien de neuf n'était parvenu de la Corne de l'Afrique. Elle regarda un bref bulletin d'information, diffusé tôt ce matin-là, sur une chaîne de télévision. Le télécharger avait été un jeu d'enfant. Elle commençait à bien connaître son nouveau téléphone. Bientôt, elle fut sur le podcast de la chaîne NRK et réécouta l'une des conférences radiophoniques qu'elle avait écoutée quelques jours auparavant. Une voix masculine avait la parole :

> L'homme moderne est largement formé par les circonstances historico-culturelles de son époque, par la civilisation même qui l'a engendré. Nous disons que nous administrons un patrimoine culturel. Mais nous sommes également le produit de l'histoire biologique de cette planète. Nous administrons donc aussi un patrimoine génétique.
>
> Il a fallu des milliards d'années pour nous créer. Des milliards d'années pour créer un être humain ! Mais survivrons-nous au troisième millénaire ?
>
> Qu'est-ce que le temps ? D'abord vient l'horizon de l'individu, puis celui de la famille, ceux de la culture et de la culture écrite, et ensuite seulement ce qu'on

appelle le temps géologique : nous sommes issus de quadrupèdes sortis de la mer il y a 350 millions d'années. En dernière instance, nous avons un axe temporel cosmique : nous vivons dans un univers vieux d'environ 13,7 milliards d'années.
Mais ces espaces temporels ne sont en réalité pas aussi éloignés les uns des autres qu'ils le semblent à première vue. Nous pouvons légitimement nous sentir chez nous dans l'univers. Le globe sur lequel nous vivons a à peu près un tiers de l'âge de l'univers, et l'ordre auquel nous appartenons, celui des vertébrés, a existé pendant pas moins de 10 % du temps de la Terre et de ce système solaire. L'univers n'est pas plus infini que cela. Ou, à l'inverse : c'est aussi profondes que sont nos racines et notre parenté avec le sol universel. L'homme est peut-être le seul être vivant de tout l'univers à avoir une conscience universelle – une étourdissante perception de cet immense et énigmatique tout dont nous sommes une part essentielle. Conserver le fondement de la vie sur cette planète n'est donc pas une simple responsabilité mondiale. C'est une responsabilité *cosmique*.

Nous pouvons légitimement nous sentir chez nous dans l'univers ! C'était la phrase qui avait marqué Anna la première fois qu'elle avait entendu cette conférence radiophonique. Qu'il y ait ou non de la vie ailleurs, la vie sur Terre représente tout l'univers, et, grâce à sa conscience, l'homme se trouve dans une position à part. Mais l'homme n'aurait pas pu exister sans d'autres vies. Une condition essentielle de l'existence humaine est, par exemple, l'existence de quelque chose d'aussi petit et d'aussi insignifiant que des bactéries. Même les bactéries ont donc une importance cosmique, car elles contribuent également à accroître la conscience qu'a l'homme du globe terrestre et de tout l'univers. Chapeau bas pour ces micro-organismes ! Ils ne le savent pas, mais eux aussi jouent un rôle cosmique !

Anna éclata de rire. À l'idée que même une minuscule bactérie apporte un *sens* à l'univers, elle ne pouvait s'empêcher de rire.

Elle jeta un coup d'œil vers la station-service et se rendit compte du temps splendide qu'il faisait dehors. Maintenant, il fallait qu'elle appelle Jonas ! Mais il la devança.

Jonas habitait à Lo, quelques dizaines de kilomètres plus haut dans la vallée. Ils ne s'étaient jamais vus avant qu'elle commence à aller au lycée, cet automne. L'établissement accueillait des élèves de la moitié du comté, et ils habitaient donc parfois à des dizaines de kilomètres les uns des autres. C'était l'une des raisons pour lesquelles il leur était si difficile d'organiser des activités le soir, ensemble.

Cette année, la couverture neigeuse avait permis de skier dès la mi-novembre, et, ces dernières semaines, Anna et Jonas étaient souvent partis chacun de leur village à skis de fond, pour se retrouver en altitude, là où, depuis des temps immémoriaux, la famille d'Anna avait un chalet d'alpage. Et c'est précisément ce que Jonas proposa ce jour-là, arguant que c'était là sa dernière occasion d'avoir une petite amie de quinze ans.

Ce n'était pas ce qu'il pouvait trouver de plus malin à dire, car Anna repensa alors à la lettre d'Olla à son arrière-petite-fille. Celle-ci devait nécessairement être rédigée avant la limite du 12/12/12, faute de quoi elle n'arriverait pas à destination. Faute de quoi elle ne *serait* pas arrivée à destination quand elle avait mis ce « filtre » sur la tablette. C'était le but. C'était la logique. Anna répondit :

– En fait, je suis un peu occupée. Avec des trucs.

– D'importance cosmique ?

– Oui, Jonas. Mais il y a aussi autre chose. Tu as vu les infos, aujourd'hui ?

– Oui. Il s'est passé tellement de temps avant que j'aie de tes nouvelles que j'ai largement eu l'occasion de parcourir la presse. Pourquoi ?

– Ester Antonsen.

– En Somalie ?

– Oui...

– C'est presque trop bête pour être vrai... elle quitte à peine l'aéroport de Mogadiscio que...

– Ester Antonsen est la fille de Benjamin. Je viens de l'avoir au téléphone.

– Tu as parlé au docteur Benjamin ?

– C'est le docteur Antonsen, Jonas. Benjamin Antonsen.

– Ah...

– C'est de ma faute, je t'ai induit en erreur, parce que je m'étais emmêlé les pinceaux.

– Il t'a appelée pour te raconter que sa fille avait été kidnappée ?

– Non, c'est moi qui l'ai appelé.

– Pour la bonne raison que... ?

– Peu importe. Je voulais lui demander une évaluation psychiatrique de l'homme en tant qu'espèce. Notre mépris pour les autres vies, notre manque de respect pour nos propres descendants. Mais peut-être que je lui ai téléphoné parce que je venais de voir une photo d'Ester Antonsen dans un journal en ligne. Ça m'a rappelé une photo qu'il avait dans son bureau. En fin de compte, c'était une photo de jeunesse de sa femme, la mère et la fille doivent beaucoup se ressembler…

– Anna… On pourrait en parler à la montagne… et suivre les actualités de là-bas, bien sûr. Tu viens ?

Elle minauda un peu.

– Je viens à une condition.

– Oui ?

– De toute façon, tu as huit kilomètres à faire à skis. Donc tu vas avoir le temps de réfléchir.

– Ah bon ?

– J'ai un problème qu'il faut que tu m'aides à résoudre.

– Envoie. Je ferais n'importe quoi pour toi.

– Comment allons-nous réussir à sauver mille et une espèces de plantes et d'animaux ?

– Hein ? Ça a un rapport avec notre association pour l'environnement ?

– Pas directement. Mais il faut que je mette de l'ordre dans quelque chose… dans quelque chose dont j'ai rêvé, Jonas, quelque chose dont j'ai rêvé cette nuit.

– Typique. Pourquoi précisément mille et une ?

Elle rit.

– C'est un chiffre rond. Comme dans *Mille et Une Nuits*. Les enfants disent mille quand ils veulent dire infiniment, beaucoup, mais moi, je dis donc mille et une.

– T'es dingue.

– Peut-être bien, moi-même, j'en ai parfois l'impression. Mais Benjamin m'a déclarée saine d'esprit…

– Faisons-lui confiance, alors.

– Quand nous nous retrouverons au chalet, il faudra que tu aies réfléchi à une réponse crédible à la question de savoir comment nous allons pouvoir sauver de l'extinction mille et une espèces de plantes et d'animaux. Si tu y parviens, je t'aimerai toujours. Sinon, je romps !

– Alors je vais réussir. Tu n'as pas le droit de rompre.

– Je ne crois pas que j'y arriverais, de toute façon, Jonas. Je tiens bien trop à toi.

– Me voilà soulagé. On se retrouve là-haut dans deux heures, alors.

– Attends !

– Oui ?

– Tu crois qu'il existe des réalités parallèles ?

– Anna…

– C'est que j'ai de nouveau cette sensation de vivre dans deux mondes différents. Ou, du moins, d'avoir des liens avec une autre dimension. Qu'il y a quelque chose de l'autre côté… et que c'est quelque chose que je reçois.

– On en a déjà parlé.

– Oui.

– Et ça me fait peur quand tu dis ces choses-là.

– Tu as peur qu'il y ait une autre dimension ? Ou peur de ce qui est de l'autre côté ?

– J'ai peur que tu puisses avoir plusieurs réalités dans la tête en même temps.

– Ne t'inquiète pas, Jonas. À tout à l'heure.

– Bon ski, alors ! Tu ne pourrais pas essayer de te concentrer sur la réalité que tu partages avec moi ?

– Je vais essayer. À tout à l'heure !

– Au revoir !

Anna resta debout dans la pièce à réfléchir, et puis cela se reproduisit : elle repensa à un autre petit segment de ce qu'elle avait ressenti comme une éternité à soi tout seul, une scène banale d'une autre vie, une fraction d'un autre univers…

Les ballons

Nova sort dans le jardin en tenant des ballons rouges à la main. Sur chacun est dessinée, en bleu, la silhouette d'un animal disparu. Elle va descendre les vendre au relais de poste. Elle a besoin de cet argent parce qu'elle économise pour s'acheter une nouvelle tablette. Les voyageurs seront sûrement nombreux à vouloir acheter à leurs enfants un ballon rouge avec une image de lion ou de gorille.

Dans le jardin, chacun sur son échelle, ses parents pollinisent leurs arbres fruitiers. Il n'existe plus ni bourdons ni abeilles. Les effectifs ont commencé à diminuer il y a déjà cent ans. Les raisons étaient multiples, mais subitement, un jour, les abeilles n'existaient plus. Et tout le minutieux travail qu'effectuaient auparavant des milliards d'hyménoptères, les hommes doivent le faire eux-mêmes.

Ses parents lui font signe depuis leur échelle. Ils sont tous deux en combinaison bleue. Elle les trouve beaux.

– Jolis ballons, commente son père.

– Presque dommage de les vendre.

Son arrière-grand-mère arrive dans le jardin avec un grand plateau. Elle a préparé un plat qui ressemble à un gratin, mais Nova sait que c'est de la nourriture synthétique. On a beau lui avoir dit que celle-ci contenait l'ensemble des nutriments essentiels, elle est lasse de tous ces aliments artificiels.

Olla demande qu'on l'aide à mettre le couvert sur la table de jardin, où est déjà posé un vase de tulipes rouges, et Nova la rejoint. Elle passe son bouquet de ballons de la main droite à la gauche. Mais, une fraction de seconde d'inattention, et elle relâche sa prise. C'est maintenant que cela se passe.

Tout de suite !

Elle n'a lâché les fils qu'un quart de seconde plus tôt, et les ballons se sont déjà élevés à une longueur de bras au-dessus d'elle. Elle bondit pour les rattraper, mais c'est un tout petit peu trop tard. Ils continuent de monter, s'éparpillent avec le vent et disparaissent, tels des points rouges dans le bleu du ciel.

La piscine

Il y avait deux possibilités. Soit Anna avait rêvé de tous ces épisodes d'un passé lointain, la nuit dernière. Et tout un ensemble de séquences colorées s'étaient alors enchaînées comme des perles, entre le moment où elle s'était couchée et son réveil, ce matin. Soit elle puisait depuis longtemps tous ces rêves dans un même univers onirique, et c'était aujourd'hui seulement qu'elle se les remémorait. Le rêve d'Olla et de la bague rouge, en tout cas, datait de cette nuit. Peut-être était-ce ce rêve-ci qui avait tiré tous les autres d'un océan d'oubli ?

Laquelle de ces deux possibilités était la plus vraisemblable ? Et la plus difficile à comprendre ?

Il y en avait une troisième, qu'Anna n'était pas disposée à exclure : tout ce qu'elle avait rêvé était peut-être *vrai*. Peut-être avait-elle véritablement une arrière-petite-fille dans les tréfonds de l'avenir, une enfant prodige qui, inexplicablement, parvenait à transmettre ses impressions et son vécu à son arrière-grand-mère, Anna, donc, quand celle-ci avait à peu près le même âge qu'elle. Il y a bien des choses de la nature que l'homme ne comprend pas. Le temps, par exemple. Car, en effet, qu'est-ce que le temps ?

Une chose était sûre, cependant : le père et la mère de Nova qui, chacun sur son échelle pollinisaient leurs arbres fruitiers, étaient loin d'évoquer ses propres parents. Ils avaient un physique qui leur était tout à fait propre et ne ressemblaient à personne qu'Anna eût déjà rencontré.

Elle n'avait jamais vu une femme aussi belle que la mère de Nova, même en film. Et elle n'avait jamais vu non plus de père aussi canon que celui de Nova. L'étincelle si intensément alerte et attentive qu'il avait dans le regard ne s'effaçait pas, et Anna aurait pu faire dix kilomètres à pied pour le revoir.

À moins qu'elle ne soit clairvoyante, et que les gens qu'elle avait rencontrés dans son rêve ne soient de véritables personnes qui vivraient dans longtemps ? Ou alors elle avait ciselé deux individus précis à l'aide de sa seule imagination. Mais qu'était donc le plus merveilleux des deux ? Peut-être le fait qu'elle les ait *créés* !

Si elle avait su dessiner, elle aurait pu représenter les visages des parents de Nova dans leurs moindres détails. Si elle les avait vus dans la rue, elle les aurait aussitôt reconnus et serait bien entendu allée leur dire bonjour. Et l'un d'entre eux, soit elle, soit lui, pouvait donc être son petit-enfant.

Ce qui lui rappela encore la lettre que Nova avait découverte sur Internet, une lettre électronique d'Olla quand elle était jeune. Mais c'était Anna, ça ! Ces rêves l'étourdissaient, tant ils avaient de sens différents.

Conscience… Rêve…

Mais qu'est-ce qui était conscience ? Et qu'est-ce qui était rêve ?

Pendant qu'elle était dans la salle de bains, Anna en vint à penser à ce jour de printemps où elle était descendue dans le jardin et avait trouvé sa mère qui s'y promenait avec un très long mètre à ruban. Anna s'était enquise de ce qu'elle faisait, et sa mère lui avait répondu qu'ils envisageaient de construire une piscine dans le jardin. Ils avaient fait faire un devis.

D'abord, Anna en était restée bouche bée. Puis elle était devenue très inquiète, sans doute, avant tout, pour la santé mentale de sa mère. Il n'y avait pas de place pour une piscine dans ce jardin. Mais sa mère avait insisté sur le fait qu'il y avait *largement* la place – c'était justement ce qu'elle était en train de mesurer. Évidemment, il faudrait abattre les arbres fruitiers. Et enlever les rosiers et les groseilliers. Il y avait aussi une ruche dans ce petit jardin, mais le père d'Anna avait depuis longtemps laissé tomber l'apiculture.

– L'été est si court, Anna. Quand le soleil tape, c'est agréable de pouvoir se rafraîchir en prenant un bain. Et puis, c'est bon pour la santé.

Sur la pelouse, un banc blanc et quelques chaises de jardin entouraient une petite table, Anna demanda à sa mère de s'y asseoir. Celle-ci s'installa sur le banc ; Anna prit la chaise d'en face pour pouvoir regarder sa mère dans les yeux.

– Dans ce devis, avez-vous pris en compte tout ce que vous perdrez chaque année en revenus du jardin ? Toutes les poires et les prunes, toutes les cerises et les groseilles ? Ou même les roses ?

Anna proposa de l'aider à faire le calcul. Elle lui rappela que la nature n'est pas uniquement quelque chose de joli à regarder. Elle évoqua ce qu'on pourrait qualifier de *services* de la nature. Cela étant dit, elle souligna qu'elle adorait cette jolie pelouse et ses fleurs de trèfle rouges et blanches, qu'elle adorait se promener dans le jardin et en faire partie, et que le goût de grimper dans le poirier ne lui était pas encore passé.

Pour s'assurer qu'elle se faisait bien comprendre, elle déclara enfin :

– Je suis bien ici.

Et il ne fut plus jamais question de cette piscine.

Les tulipes

Nova descend le long de la rivière avec un bouquet de tulipes rouges qu'elle a vraisemblablement acheté au supermarché.

Tout d'un coup, elle entend une série de claquements secs sur l'autre rive. Elle traverse le pont et s'aperçoit que ces coups réguliers viennent de la pinède au sommet de la colline. Elle voit tomber un pin. Puis un autre.

Elle emprunte un sentier, entreprend de monter jusqu'à la crête d'où vient le bruit et découvre une foule d'hommes en uniforme bleu. Chacun avec une hache, ils sont en train d'abattre les arbres. Ils sont peut-être vingt au total. Elle a l'impression qu'ils mesurent tous environ deux mètres et qu'ils pèsent tous plus de cent kilos.

L'un de ces hommes porte un bonnet rouge avec un pompon. C'est peut-être le chef d'équipe. Elle se dirige vers lui et découvre un visage lumineux. L'homme, qui a les yeux violets, pose sa hache quelques secondes.

Elle lui demande :

– Que se passe-t-il ?

Il essuie la sueur de son front et répond :

– Nous sommes en train d'abattre la forêt.

– Pourquoi ?

Il rit, et elle croit qu'il rit du fait qu'elle puisse lui poser une telle question. Mais il n'est pas hostile.

– On va construire un parc d'éoliennes. Donc, il faut détruire la forêt. Des plus et des moins, mademoiselle. C'est comme ça dans presque tous les calculs.

– Je trouve dommage de perdre la forêt.

Il rit encore. Il regarde les tulipes rouges en disant :

– Mais, dans ce sketch, ce n'est peut-être pas ça, la chute.

– Que voulez-vous dire ?

– Tu pourrais me demander combien de temps il va nous falloir pour finir le travail.

– Combien de temps va-t-il vous falloir pour finir le travail ?

Il lève le pouce en répondant :

– Le printemps ne fait que commencer, nous sommes vingt et nos haches sont émoussées. Je pense que nous devrions avoir terminé à Noël.

Nova hoche la tête.

– Alors je vous dis *Merry Christmas* !

Elle lui tend les tulipes rouges en ajoutant :

– Et voici. Ces fleurs sont probablement pour vous.

Le solide gaillard fait une courbette.

– Je te remercie. Et peut-être devrais-je te révéler la chute de l'histoire avant que tu partes ?

Elle scrute d'un air interrogateur les yeux violets de l'homme en acquiesçant de nouveau de la tête. Il conclut :

– Si j'avais eu un bidon d'essence et une tronçonneuse, j'aurais pu faire le boulot tout seul en deux jours.

La clef de contact

Anna avait mis son nouveau mobile dans une poche de son anorak bleu et, au moment de partir, elle jeta un coup d'œil sur ses boîtes *Qu'est-ce que le monde ?* et *Que faut-il faire ?* Elle glissa tous les documents et coupures de presse dans deux sacs en plastique et les rangea au fond de sa poche d'anorak. Bientôt, elle se dirigeait vers la station-service, ses bâtons dans la main gauche et ses skis sur l'épaule droite.

Devant la station de lavage attendait une grosse voiture, moteur allumé. Anna posa ses skis sur le bas-côté, et une femme en manteau jaune arriva au pas de charge vers la voiture. Elle avait un hot dog dans une main et un magazine dans l'autre. Anna lui lança :

– J'étais à deux doigts de couper le contact et de jeter la clef dans la neige, là !

Elle fut prompte à ramasser ses skis, et zou ! elle était en route pour la montagne.

Elle se disait : *Nous détruisons notre planète. C'est nous qui le faisons, et c'est en ce moment que ça se passe.*

Quelques jours plus tôt, elle avait fait reproduire la clef du chalet d'alpage pour que Jonas puisse en avoir un double. Elle se demandait qui y arriverait le premier, aujourd'hui. Il avait huit kilomètres à parcourir, elle seulement cinq. Mais Jonas skiait plus vite. Qu'il ait beaucoup des choses auxquelles réfléchir n'allait pas forcément ralentir son allure. Peut-être même bien au contraire, songea-t-elle. Souvent, plus on pense vite, plus on avance vite. Et inversement, plus on avance vite, plus on pense vite.

Quant à elle, elle skiait en réfléchissant à la prise d'otages en Somalie et à l'étrange conversation téléphonique qu'elle avait eue avec Benjamin. Avant de fourrer son mobile dans sa poche, elle avait encore vérifié les journaux en ligne et fait quelques recherches sur Google. Elle avait lu que des flottes étrangères avaient pêché une grande partie du poisson au large des côtes somaliennes et que cela pouvait en partie être à l'origine de la piraterie en mer. Pendant des années, des pêcheurs, surtout de l'Union européenne, s'étaient livrés à la pêche illégale dans les eaux somaliennes, et ce pour un gain de plusieurs centaines de millions de dollars par an. La Somalie avait exigé de l'ONU que les vaisseaux de guerre qu'on utilisait actuellement pour lutter contre la piraterie le soient aussi pour empêcher la surpêche illégale pratiquée par des flottes étrangères… Elle avait lu que la Somalie protestait contre des projets kenyans de forage pétrolier illégal au large de ses côtes. D'après la Convention des Nations unies sur le droit de la mer, plusieurs des gisements concernés appartenaient à la Somalie. Quatre grandes compagnies pétrolières étaient impliquées, parmi lesquelles la norvégienne Statoil. Mais il n'y avait aucune nouvelle au sujet de la prise d'otages. Un entrefilet indiquait simplement que les kidnappeurs n'avaient pas encore demandé de rançon. Une non-nouvelle caractéristique.

Anna progressa jusqu'aux fermes du haut en longues glissades. Parvenue à la toute dernière, elle s'arrêta un instant, comme hypnotisée par la vision d'une boîte aux lettres verte. N'avait-elle pas aussi rêvé de ces « boîtes vertes » ? Ou s'agissait-il d'une sorte de distributeur ? Elle ne se souvenait pas. D'autres éléments filtreraient peut-être dans le courant de la journée. Il n'était que midi.

Elle se trouvait dans la forêt de Lia où Nova avait regardé sa tablette sous les étoiles. Elle fit une pause et sourit.

Dans ce bois, Anna avait sa propre cachette secrète, un pré naturel qui, l'hiver, était presque libre de toute pollution optique parce qu'il était à l'abri et des lumières du village et de celles de la piste de ski. Elle pouvait y être dans le noir complet pour contempler la nuit du monde, exactement comme Nova. La vie sur sa propre planète demeurait néanmoins plus époustouflante encore que tous ces corps célestes sans vie réunis. Un écureuil n'était-il pas plus remarquable qu'un trou noir ? Un lièvre ou un renard n'étaient-ils pas plus importants qu'une supernova inanimée ?

De jour aussi, elle se rendait parfois dans la forêt quand elle voulait être seule. Récemment, elle s'était disputée avec Jonas. Il avait été question de ce qu'il avait appelé ses « visions » et elle avait eu tant de chagrin qu'elle avait filé dans les bois.

Elle n'y était jamais tombée sur quelqu'un. Mais elle avait vu des chevreuils. Dont elle avait toujours pensé qu'ils étaient des créatures plus mystérieuses que les humains. Ils n'avaient aucun travail auquel se rendre. Ils n'allaient pas à l'école et n'avaient pas de devoirs. Ils n'avaient pas de maison, de religion ni d'assurance. Ils n'avaient pas de nom ni de numéro de Sécurité sociale, et personne n'en était propriétaire. Ils *étaient*, simplement. Et pourtant : ils n'en restaient pas moins pleins d'âme.

Comment était-ce d'être dans la tête d'un chevreuil ? Pareil que dans celle d'un dromadaire ? Ou pas tout à fait ?

Dans son rêve, Nova s'était trouvée dans cette même clairière. Mais ce n'était pas là qu'elle *s'était* trouvée. C'était là qu'elle se *trouverait* avec sa tablette dans soixante-dix ans. Et puis il y avait autre chose : le fait que Nova ait choisi cette clairière-là comme refuge n'était pas nécessairement une coïncidence. Peut-être était-ce Olla qui l'y avait emmenée, un jour. Anna décida en tout cas que si jamais elle devenait l'arrière-grand-mère d'une fille du nom de Nova, elle lui montrerait cette clairière dans la forêt…

Jugeant que ses pensées commençaient à tourner un peu en rond, elle éclata de rire, si fort qu'elle effraya quelques perdrix des neiges, qui s'envolèrent d'un fourré. Bientôt elle s'était remise en route, et, un quart d'heure plus tard, elle était en haut, sur le plateau. Le majestueux sommet baignait dans le soleil d'hiver, et la montagne s'étirait devant elle dans toute sa nudité.

Les sentiers

L'automne tire à sa fin. Nova a mis une écharpe rouge et suit un sentier qui mène à l'ancien chalet d'alpage. Elle a gravi les côtes abruptes et est déjà arrivée sur le plateau proprement dit. Ici aussi les bouleaux poussent en rangs serrés. Elle sait qu'au-delà de ces arbres, le paysage était autrefois un paysage de haute montagne. Ce qui était alors terrain dégagé est aujourd'hui recouvert de bouleaux et de saules nains, et Nova, plongée dans les profondeurs de cette végétation dense, ne peut voir les montagnes bleues dans le lointain. Elle sait que les hauts sommets et leur végétation de mousse et de lichen se trouvent quelque part derrière la forêt de bouleaux, elle connaît l'existence de ces hautes montagnes, comme on peut connaître de vieux mythes et des légendes anciennes, et sans doute connaît-elle suffisamment bien le coin pour savoir que, dans ce dédale de chemins et de sentiers, elle découvrira un jour comment y accéder, mais d'où elle est aujourd'hui, elle n'est pas en mesure de les voir. Elle adore toutefois se promener sur ces sentiers, entre les troncs blancs des bouleaux. Les arbres et la bruyère luisent dans de francs tons de jaune et de rouge, et cette année, de surcroît, le sous-bois regorge de myrtilles et d'airelles.

Elle avance à pas légers, comme si elle planait à quelques millimètres du sol, jusqu'à une croisée de chemins. Sans réfléchir, elle passe de l'un à l'autre, elle ira au chalet d'alpage plus tard.

C'est tout juste si elle n'a pas honte d'apprécier ce paysage, car elle sait que cette forêt de bouleaux presque interminable signifie qu'une grande partie de la flore et de la faune alpines a disparu. Cette nature montagneuse traditionnelle où vaches, moutons et chèvres étaient autrefois à l'alpage n'existe plus. Et Nova sait que le prix à payer pour l'existence de ces labyrinthes de sentiers dans la forêt de bouleaux, c'est la sécheresse, la famine et la crise climatique ailleurs dans le monde.

Mais là, elle profite du paysage. Elle s'y sent chez elle. Quand elle arrive à un poste de garde rouge et qu'une sentinelle en uniforme se tient devant une solide barrière, elle est tout de même surprise, mais juste un peu, parce que c'est sa forêt et qu'elle en connaît les règles.

Le soldat veut inspecter sa tablette. Bon. Soit. Elle la lui tend. Il effleure l'écran et tapote à une vitesse fulgurante. Cela lui donne l'impression que, en quelques secondes à peine, il va sur cent sites différents. Puis il lui rend l'appareil, lève la barrière et la laisse passer.

Le chalet d'alpage

Anna ouvrit le chalet d'alpage. Le sas d'entrée était froid et âpre, mais elle fit du feu dans le poêle et mit de l'eau à bouillir pour un thé. Elle était arrivée avant Jonas, c'était un peu étrange…

Quelquefois, quand elle était seule ici, elle avait le sentiment indéfinissable d'être avec plusieurs amis invisibles. Parfois, elle entendait le bourdonnement de leurs voix dans sa tête. Et si elle était d'humeur, elle répondait, tout haut : « Non, je ne suis absolument pas d'accord avec toi sur ce point ! » Ou : « Exactement ! C'est ce que j'ai toujours pensé ! » Il lui arrivait de parler si fort qu'elle effrayait les petits oiseaux devant le chalet. Si des gens étaient apparus à ce moment-là, ils auraient cru qu'elle parlait toute seule. Elle-même n'avait jamais peur de ce genre de comportement.

Soudain elle entendit sa propre voix s'exclamer dans le vide :

– Ester ! Comment va Ester ?

Elle se hâta de sortir le téléphone de son anorak. Le réseau était bon. Elle alla sur le site de son journal préféré, et cette fois, il y avait du nouveau, en quantité.

Dernière dépêche : L'otage américaine et l'otage égyptien en Somalie ont été libérés et sont parvenus à franchir la frontière du Kenya, où ils sont maintenant pris en charge par les autorités kenyanes et le personnel du Programme alimentaire mondial. Seule l'otage norvégienne, Ester Antonsen, reste captive dans ce pays de la Corne africaine ravagé par la guerre… Sarah Hames et Ali Al-Hamid (photo) apportent avec eux les revendications des ravisseurs. Pour que l'otage norvégienne soit libérée, ils exigent que Statoil leur garantisse qu'elle ne se laissera pas entraîner par le Kenya dans ce que les preneurs d'otages qualifient de forage pétrolier illégal dans les eaux territoriales somaliennes… Hames et Al-Hamid décrivent leurs ravisseurs comme professionnels et déterminés…

Anna n'eut pas besoin d'en lire plus. Elle téléphona à Benjamin. Quelques secondes à peine s'écoulèrent avant qu'il réponde :

– Ben !

– C'est Anna. Comment allez-vous ?

– Je suis obligé d'être bref, je ne peux pas bloquer la ligne.

– Mais avez-vous l'assistance qu'il vous faut ?

– Ester a un mari et un enfant.

– Vous êtes avec quelqu'un ?

– Pas pour l'instant. Je suis en liaison permanente avec le ministère des Affaires étrangères.

– Et personne n'a eu de nouvelles directes d'Ester ?

– Non, personne. Pour l'heure, ce qui me préoccupe le plus, c'est de savoir comment *elle* va.

– Bien sûr.

– Depuis son enfance, elle a toujours souffert de claustrophobie. Et moi, le psychiatre, je n'ai pas réussi à la soigner. Quand elle est à New York, elle est fichue de monter trente ou quarante étages à pied pour éviter l'ascenseur. Mais il faut que je raccroche, Anna. Je ne peux vraiment pas te parler plus longtemps.

– Attendez !

– Vite, alors !

– Ressaisissez-vous ! Il faut essayer de *refouler* vos impulsions négatives ! Prenez votre mobile et faites un bon jogging. Il faut vous défouler ! Donc, défoulez-vous !

– Tu es une enfant singulière, Anna. Mais, merci !

Plus pour agir, elle aussi, et arrêter de se mordre les lèvres, Anna tira les deux sacs de documentation de sa poche d'anorak. Elle les posa sur un vieux coffre, puis les reprit et en répandit le contenu sur la grande table, *Qu'est-ce que le monde ?* à une extrémité, *Que faut-il faire ?* à l'autre.

Elle se levait sans cesse pour aller guetter Jonas. D'ici, par la fenêtre, elle avait une vue dégagée sur plusieurs kilomètres, vers le sud-ouest. C'était par là qu'il allait arriver. Mais elle ne décelait aucun mouvement, ni sur le plateau ni sur la pente escarpée tout au bout.

Il était midi, à quelques jours seulement du solstice d'hiver, le soleil était bas dans le ciel. La lumière crue venait presque en angle droit sur la vitre et lui piquait les yeux.

Elle espérait qu'Ester ne se trouvait pas ligotée dans une pièce sombre, la tête enfoncée dans un sol en terre battue. Elle choisit néanmoins de croire que ses ravisseurs la traitaient convenablement. Et d'espérer que Statoil donnerait sans délai les garanties demandées par les ravisseurs. Faute de quoi, elle solliciterait dès le lendemain son association environnementale et essaierait de trouver un moyen d'action !

Dans l'une des coupures de presse sur la table, il était justement question de foi et d'espoir. Elle venait de la boîte *Qu'est-ce que le monde ?*

> D'après les théories en vigueur, l'univers est né il y a environ 13,7 milliards d'années. L'événement est souvent qualifié de « Big Bang ». Placer un signe égal entre la naissance de l'univers et le début de toute chose pourrait toutefois être une conclusion hâtive. Avec cette grande explosion, on pourrait tout aussi bien avoir été en présence d'une continuité rigide d'un état à un autre. Ce qui pourrait se trouver « sous » ou « derrière » l'univers, nul ne peut en rendre compte. Le monde est une énigme intense. À cet égard, il pourrait être largement respectable de simplement se plier devant l'insondable. Contempler la nuit du monde, c'est reconnaître les limites de notre compréhension. Au-delà de ces horizons se trouvent des possibilités infinies de croyance… On a le droit d'avoir une vie religieuse et d'espérer un salut pour ce monde. Mais il n'est pas certain qu'un nouveau ciel et une nouvelle terre nous attendent. Il est en outre douteux que des puissances célestes organisent jamais un jour du Jugement dernier. En revanche, nous serons un jour jugés par nos propres descendants. Si nous oublions de penser à eux, eux ne nous oublieront jamais.

Contempler l'univers, c'est reconnaître les limites de notre compréhension... Ou contempler sa propre âme. Anna trouvait que les deux étaient tout aussi mystérieux. Mais pouvait-on envisager l'existence d'un lien entre l'âme et l'univers ? Pouvait-il y avoir un lien entre tous les mystères qu'elle vivait dans les tréfonds de son esprit et ceux qui se cachaient derrière l'univers physique, là, dehors ?

Quotas d'émission

Il pleut des cordes. Nova porte des bottes et marche sous son grand parapluie rouge. Elle va juste acheter quelque chose à l'épicerie, probablement un ingrédient qu'il leur faut pour le dîner. Il y a eu une pénurie de nombreuses denrées, ces derniers temps.

Devant la supérette est installé un petit stand. C'est la première fois qu'elle voit une chose pareille ici.

Un homme aux cheveux blancs, en blouse grise, se tient derrière une table qui croule sous des catalogues aux couleurs criardes. Il doit s'agir de vieux catalogues de voyages. Ils ont l'air brillants et neufs, mais Anna sait que ce genre de catalogues ne s'imprime plus.

À l'auvent est accroché un fanion bleu, avec l'inscription : Crédits-carbone bon marché.

Elle prend l'un des catalogues aux séduisantes images de plages blondes et de piscines d'un bleu éclatant, et l'homme aux cheveux blancs lui adresse un sourire enjoué. Ils se tiennent chacun sous leur abri, sous les flots d'eau, et l'homme est manifestement impressionné par le grand parapluie de Nova.

– Un petit tour au soleil, ce serait pas mal, hein, ma petite ? Les crédits-carbone, c'est par ici.

Elle repose le catalogue et pointe la table :

– Ils ont au moins quarante ans.

– Tout à fait exact, répond l'homme aux cheveux blancs.

– Ce ne sont pas de vrais voyages que vous vendez là, donc je n'ai pas non plus besoin de crédits-carbone.

Il la considère avec surprise, gêne presque.

– Qui a dit que ces crédits devaient être vrais ? Vous comprenez tout de même que ceci n'est qu'un jeu, non ?

Il arrache un formulaire d'un bloc, tire un feutre rouge de la poche de sa blouse et demande :

– Comment vous appelez-vous ?

– Nova, répond-elle.

– Nom de famille ?

– Nyrud…

Il remplit le formulaire et le lui tend. Elle lit : « 1 – un – crédit-carbone. Nova Nyrud se voit ainsi autorisée à émettre une tonne de CO_2, correspondant à un voyage en avion pour deux à destination d'Alicante ou Naples. »

Elle regarde la feuille, puis l'homme.

– Mais je ne pars pas en voyage.

Il acquiesce.

– C'est pourquoi ce crédit-carbone vous est donné gracieusement. Si vous aviez réellement prévu d'émettre une tonne de CO_2, vous auriez bien sûr dû en payer le prix. Il faut tout de même que ça coûte quelque chose de souiller l'atmosphère de la Terre.

– Évidemment…

– Mais maintenant, vous avez compris la règle du jeu. Vous pouvez donc partir où vous voulez avec la meilleure conscience du monde à la simple condition d'acheter des crédits-carbone correspondant à la distance que vous parcourrez. Le tout repose sur un calcul relativement simple.

Elle ne saisit pas la logique.

– Vous voulez dire que je peux voyager sans polluer, simplement en achetant des crédits-carbone ?

L'homme aux cheveux blancs hoche la tête d'un mouvement appuyé.

– Oui, puisque vous voyagez de façon *carboneutre*, ce qui est une manière de se déplacer nettement plus douce que de voyager carbonégativement. Et cette grande différence, vous l'avez donc pour un ou deux billets de cent.

Elle jette encore un coup d'œil sur toutes ces photos colorées. Elle se laisse tenter par les palmiers et les plages. Sur certaines photos, il est écrit « bon marché », « prix réduit » ou « prix plancher de cet hiver ». Elle regarde l'homme aux cheveux blancs en disant :

– Alors, avec le bon que vous m'avez donné, j'achète deux fois plus de crédits-carbone que ce qu'il me faut pour moi toute seule. Cela ne serait-il pas *bien* pour le climat que je voyage énormément, dans ce cas ?

L'homme réfléchit intensément, se livre apparemment à des calculs, puis répond d'un ton ferme :

– Si nous nous en tenons à ces mêmes mathématiques élémentaires, cela devrait signifier que vous voyagez carbopositivement. Donc, plus vous voyagez, mieux c'est pour l'environnement. Quelques petits week-ends ici et là, et hop, vous aurez contribué à aspirer hors de l'atmosphère une quantité mesurée de gaz à effet de serre. Et avec ça, vous avez aussi des crédits hors taxe. C'est bien ça, ma petite. Je crois que vous avez gagné cette partie.

Elle se tourne brusquement, si bien que son énorme parapluie bascule et déverse un tas d'eau sur la table et les catalogues. Elle ne sait pas si c'est un incident fortuit ou si elle a agi volontairement. Mais elle fait une petite courbette à l'homme aux cheveux blancs, faisant couler encore un petit ruisseau sur les catalogues de vacances, et dit avec un geste d'excuse :

– Pardonnez-moi ! C'est ce maudit climat.

Une nouvelle chance

Anna était revenue à la fenêtre. Cette fois, elle aperçut au loin une minuscule puce rouge qui approchait. Mais elle fut éblouie par le soleil de décembre. Elle prit la paire de jumelles et sortit regarder sur le perron. Mais oui, c'était bien Jonas dans sa combinaison de ski rouge ! Il n'y avait que lui qui skiait de la sorte.

Dix minutes plus tard, debout sur les larges lattes du plancher, il soufflait comme un orage. Il faisait encore si froid dans le sas d'entrée que son souffle formait des nuages blancs. Elle lui ôta sa casquette à oreilles bleue, passa un bras autour de son cou et l'embrassa. Jonas la serra contre lui, mais il était tout haletant.

– Tu es… là depuis… longtemps ?

– Juste assez pour que tu aies commencé à me manquer. Je veux dire, vraiment beaucoup…

– Et tu es seule ?

Elle rit.

– Mais oui, Jonas. Je n'ai emmené aucun ami invisible aujourd'hui, et je n'ai vu ni trolls ni autres créatures de la sorte.

Il était toujours à bout de souffle.

– Tu en… sais davantage… sur cette… prise d'otages ?

Anna alla chercher son téléphone, ouvrit l'article de journal et le lui tendit. Pendant qu'il lisait, elle lui raconta :

– J'ai parlé avec Benjamin. Il n'était pas au sommet de sa forme. Mais je crois que j'ai réussi à le requinquer un peu.

– Comment ?

– Je lui ai suggéré de faire un jogging. Ça ne résout pas les problèmes. Mais ça n'en crée pas non plus.

Il avait retrouvé son souffle. Il se dirigea vers elle, joignit les mains autour de sa tête et l'embrassa comme il se doit.

– Anna. J'ai toujours pensé que tu étais très psychologue.

Elle leva les yeux vers lui.

– Toujours, Jonas ? Ou depuis trois mois ?

– Ça n'a aucune espèce d'importance. J'ai le sentiment de t'avoir toujours connue.

Il la relâcha, mais continua de la regarder dans les yeux. Anna adorait cela ! Elle aimait tant que Jonas soit capable de rester ainsi, les yeux dans les yeux, pendant de longs moments. Si longs, parfois, que l'un d'eux se mettait à rire, et l'autre riait alors aussi.

Il lança un coup d'œil sur les papiers et coupures de presse étalés sur la table. Anna était chargée du découpage des articles de journaux dans leur association écologiste, et c'était la première fois qu'elle présentait les résultats de son activité.

– Et toi, tu as apporté quelque chose ? fit-elle.

Il sourit d'un air énigmatique et elle eut le sentiment qu'il n'allait pas la décevoir. Elle ajouta :

– Mais je ne vais pas te harceler. D'abord, je pourrais peut-être t'expliquer pourquoi tu as eu cette mission aujourd'hui.

– C'est un rêve que tu as fait cette nuit ?

Il essaya de l'attirer de nouveau à lui. Mais elle se raidit. Maintenant, elle voulait lui raconter quelque chose.

– J'ai été réveillée par un rêve complètement dément, qui a une importance à la fois pour le problème que tu devais résoudre, pour toutes les coupures de presse qui sont sur cette table, et puis aussi pour la sécheresse dans la Corne de l'Afrique. Tu me suis ?

– Non, Anna. Mais continue !

Il s'affala sur le banc, dos à la fenêtre. Elle gesticulait énergiquement.

– J'ai rêvé que je vivais dans quelques générations. C'était après l'ère du pétrole, et presque toutes les réserves fossiles de carbone avaient été brûlées et relâchées dans les airs. Et puis la combustion des forêts vierges et la décomposition des tourbières de plusieurs mètres d'épaisseur avaient augmenté la concentration de CO_2 dans l'atmosphère, et ce même gaz acide s'était répandu dans les mers du monde, chose largement aussi destructive pour les ressources de la Terre, et surtout pour les besoins alimentaires de l'homme.

Il leva les yeux vers elle pendant qu'elle parlait.

– Tu as appris ta leçon de sciences naturelles, Anna…

Elle était tellement contente de le voir qu'elle ne se laissa pas agacer par cette remarque. Elle rétorqua :

– J'essaie de te raconter un *rêve*, Jonas ! Un peu de respect, quoi ! Le réchauffement climatique avait entraîné une désertification des régions tropicales, ce qui avait relâché encore une surdose de CO_2 dans l'atmosphère. Des milliers d'espèces s'étaient éteintes, tous les grands singes avaient disparu, et il ne restait, par exemple, que trois lémuriens malgaches. Des insectes tout à fait irremplaçables, comme les abeilles et les bourdons, étaient entièrement ou partiellement exterminés, donc les gens étaient obligés de polliniser à la main nombre de plantes vivrières essentielles. Une destruction totale de la nature s'était produite, un effondrement massif des écosystèmes, la civilisation était quasiment à l'arrêt, et la population mondiale sévèrement réduite en raison des dégâts climatiques. Puis avaient éclaté les dernières guerres pour l'appropriation des ressources naturelles, et voilà. Le silence s'était abattu sur les communautés locales encore vivantes.

– Le pire, c'est que ça pourrait se produire, glissa Jonas.

Anna avait sorti des tasses et des biscuits et se dirigea vers lui avec la théière. Il en profita pour essayer de la retenir, mais elle se libéra dans un sourire et eut bientôt regagné le coin cuisine.

– Mais écoute, enfin, dit-elle. J'avais une tablette complètement hallucinante qui pouvait montrer absolument tout ce qui avait été écrit dans l'histoire de l'humanité, tout ce qui avait été enregistré sur un support film ou vidéo, ou encore tout ce qui avait été capturé par des webcams dans la nature. Je pouvais voir tout ce qui était arrivé à la planète au ralenti, et je pouvais passer des heures à étudier des images animées de plantes et d'animaux disparus depuis longtemps.

– Cette évolution-là aussi est largement en cours…

Elle se tourna brusquement.

– Je me sentais maltraitée et trahie ! Les ressources du globe avaient été pillées par les générations qui m'avaient précédée. Je vivais avec papa et maman, et puis ma vieille arrière-grand-mère, dans la maison où j'habite maintenant, dans la même chambre, mais dans mon rêve, la pièce était rouge sang. Je m'appelais Nova, j'avais oublié de te le dire, et ma vieille arrière-grand-mère s'appelait Anna, même si au quotidien nous l'appelions juste Olla.

– Anna, comme toi…

Relater tout ce dont elle avait rêvé lui paraissait impossible. Quand elle s'apprêtait à raconter une chose, systématiquement, celle-ci en présupposait une autre. Or, si elle n'y était pas encore parvenue, c'était que, pour des raisons de logique, elle ne pouvait pas y venir avant d'avoir raconté ce que, justement, elle était en train de raconter.

– En plus, elle avait eu seize ans, exactement le même jour que moi. On était en 2082 et mon arrière-grand-mère avait quatre-vingt-six ans.

Jonas siffla.

– Alors je commence à y voir un peu plus clair…

– J'avais des rapports très problématiques avec cette arrière-grand-mère. Car j'avais beau l'aimer en tant qu'arrière-grand-mère, je la détestais en tant que représentante d'une génération avide qui avait vécu avant moi en *sachant* la direction que prenaient les choses et en n'en faisant pas suffisamment pour en renverser le cours. J'exigeais de récupérer tous les écosystèmes aussi intacts qu'ils l'avaient été quand elle avait mon âge. Faute de quoi j'allais la chasser dans la forêt. J'avoue que j'aurais été en mesure d'assassiner ma propre arrière-grand-mère, un peu comme les enfants dans les contes, qui prennent la loi en main et se débarrassent des vieilles sorcières et des trolls.

– Et puis tu t'es réveillée ?

Elle secoua la tête. Mais comment poursuivre ?

– La station-service en bas de chez moi n'existait plus, parce qu'il n'y avait presque plus de voitures sur les routes, à part des voitures blanches, maintenant que j'y pense, mais j'y reviendrai une autre fois.

En revanche, il y avait des caravanes de plus en plus longues d'Arabes qui franchissaient la montagne avec leurs dromadaires, en direction du nord du Vestlandet, et qui souvent se restauraient et se reposaient là où se trouvait autrefois le poste d'essence.

– Des Arabes ?

– C'étaient des réfugiés climatiques. Les pays d'où ils venaient avaient été complètement soufflés par le vent du désert. Une fois, un garçon arabe qui était tombé malade a habité chez nous dans la chambre des coussins, jusqu'à son rétablissement. On passait le temps en jouant au Ludo et à d'autres jeux de dés… Au moment de partir, il a donné à Olla une bague avec un gros rubis en la qualifiant de véritable *bague d'Aladin*.

– Combien de temps a-t-il passé dans la chambre des coussins ? voulut savoir Jonas, qui semblait presque inquiet.

Mais Anna ne répondit pas. Il lui suffisait amplement d'essayer de se souvenir de quoi elle avait rêvé :

– À partir de ce jour-là, Olla portait toujours la bague rouge. Et un matin, elle est entrée dans ma chambre en disant que le monde et toutes les espèces de plantes et d'animaux disparues allaient avoir une autre chance. Elle jouait avec son rubis rouge, et il était évident que cette nouvelle chance avait un rapport avec la bague. Ensuite, la pièce s'est mise à chavirer, et à la fin, Olla chantait d'une voix à faire frémir : *Tous les oiseaux, tout petits sont… maintenant revenus…* Et là, je me suis réveillée, Jonas. C'était il y a seulement quelques heures. Je me suis réveillée et j'ai entendu les oiseaux dehors. Je me suis réveillée complètement persuadée que ce rêve était vrai et que mon arrière-grand-mère avait réussi ce qu'elle m'avait promis. Le monde avait véritablement eu une autre chance, et un million de plantes et d'animaux avaient été réintroduits. Tu te rends compte !

Jonas resta assis à secouer la tête.

– Incroyable. Je commence moi-même à croire à ce rêve.

– Mais ce qui, dans le rêve, était de la responsabilité de mon arrière-grand-mère est maintenant devenu de la *mienne*. Soudain, les rôles sont inversés. D'un seul coup, c'est moi qui dois faire quelque chose pour lutter contre les dégâts climatiques. Et puis, dans soixante-dix ans, je reverrai mon arrière-petite-fille. Et l'affaire sera de nouveau jugée, c'est moi qui serai la vieille arrière-grand-mère qui risquera d'être chassée dans la forêt si l'état de la Terre n'a pas été amélioré. Si je ne parviens pas à empêcher que les écosystèmes ne soient détruits et la nature du monde réduite et *désenchantée*, alors je me condamne moi-même.

– Pas de la gnognote, admit Jonas. Je ne crois pas que tu aies besoin d'en dire plus.

– Écoute encore, insista Anna. Parce que quand je me suis réveillée, c'était *moi* qui avais l'anneau magique au doigt, l'anneau dont j'ai rêvé, donc.

Il l'interrompit.

– Qu'est-ce que tu viens de dire ?

Anna tira la manche gauche de son pull, tendit la main et lui montra le rubis rouge solidement serti d'or à son annulaire.

– Regarde ! C'était la bague qu'Olla portait dans le rêve. La bague qui permettait de revenir au point de départ.

De toute évidence, Jonas ne savait que croire.

– Et subitement, tu l'avais au doigt en te réveillant ? C'est ce que tu dis ?

Elle acquiesça d'un mouvement de tête appuyé et il dut réfléchir encore.

– Ou est-ce que tu la portais déjà hier soir en allant te coucher ?

Anna hocha la tête d'un air fier et secret. Elle lui raconta qu'elle avait reçu ce vieux bijou de famille, la veille. C'était une sorte de cadeau pour ses seize ans, mais comme sa mère devait aller à une conférence à Oslo, elle l'avait eu deux jours en avance avec son nouveau smartphone.

– À cause de ce rêve, j'ai décidé de garder cette bague à mon doigt jusqu'à la fin de mes jours. Elle fera en sorte que je n'oublie jamais quelle responsabilité je me suis moi-même imposée. Et puis je la porterai évidemment quand je serai arrière-grand-mère. Et si je deviens l'arrière-grand-mère d'une petite fille, je convaincrai son père et sa mère de la prénommer Nova. C'est comme ça que les rêves peuvent se réaliser. Et puis un jour, enfin, quand elle aura seize ans, par là, j'entrerai dans sa chambre. Et je veillerai à ce qu'elle remarque l'énigmatique rubis. C'est à ce moment-là, seulement, que la boucle sera bouclée.

– Mais si c'est un rêve prémonitoire, une grande partie de la nature sera alors perdue. Toute la planète sera rasée, observa Jonas, soucieux.

Anna secoua la tête.

– Le monde a obtenu une nouvelle chance. C'est ça le truc. Je dois récupérer le monde entier tel qu'il était quand mon arrière-grand-mère avait seize ans. Mais je n'ai que cette unique chance.

Elle baissa les yeux sur la documentation étalée sur la table, puis regarda de nouveau Jonas en déclarant :

– Dorénavant, il faut qu'on travaille dur !

Les voitures blanches

Nova voit par l'étroite fenêtre qu'une des voitures blanches a pénétré dans le village. Cela faisait longtemps. Elle descend les marches en quelques enjambées, glisse ses pieds dans une paire de mocassins, passe un manteau et se précipite dehors.

Dans le jardin, elle tombe sur sa mère qui rentre avec un bouquet de houx. Les branches regorgent de baies rouges. Nova ne dit pas où elle va. Elle sait que sa mère n'aime pas les voitures blanches.

En approchant du grand van, elle voit des gens sur le pont en provenance de l'autre rive. Elle n'est pas la seule à se demander ce qui va leur être montré aujourd'hui. Bientôt, elle lit l'inscription en grandes lettres bleues sur le véhicule blanc : LES DERNIERS LÉMURIENS DU MONDE. Il en existe donc encore, il existe encore des lémuriens !

Elle sait que ce sont des primates de Madagascar et que, ces dernières années, les derniers individus encore en vie se trouvaient à Berlin. C'est uniquement quand tout espoir de reproduction disparaît que les jardins zoologiques obtiennent l'autorisation de promener, dans ces voitures blanches, les individus d'une espèce en voie d'extinction, et ce afin de les présenter aux habitants de nombreux pays. Aucun lémurien n'a été vu dans la nature depuis des années.

Nova achète un billet à un homme aux bonnes joues rouges et portant un bouc noir. Il vend aussi de la barbe à papa et du pop-corn, mais ni l'un ni l'autre ne lui font envie.

Les billets sont de la taille d'une carte à jouer. Au recto, il y a l'image d'un lémurien, sous laquelle est inscrit *Lemur catta*. Au verso est écrit *Animalia*, *Chordata*, *Mammalia*, Primates, Lemuridae. Quelques phrases indiquent pourquoi l'espèce s'est éteinte à Madagascar : son habitat a été détruit par des incendies, les arbres étaient coupés pour produire du charbon de bois, et, en plus, la chasse pratiquée par les hommes a réduit ses effectifs. Le coup de grâce est toutefois venu avec les changements climatiques.

Nova est la première spectatrice à entrer dans le van, presque entièrement transformé en une grande cage. Là, trois animaux sautent entre des plantes vertes artificielles. Le plancher est recouvert de sciure. La carte indique ♀♀♀, il s'agit donc de trois femelles. Des cartes comme celle-ci, elle en a vu maintes fois. Elle en a tout un jeu. Ce sont de précieux souvenirs des animaux qu'elle a pu voir en vrai, avant leur disparition.

De leur museau court à la pointe de leur queue, ces trois lémuriens mesurent un bon mètre de long. Plus de la moitié de la longueur de leur corps est formée par cette imposante queue à anneaux noirs et blancs. Derrière le grillage, les animaux font des bonds nerveux et l'observent de leurs yeux brun-jaune. Nova se demande ce qu'ils comprennent. Se figure que c'est bien plus qu'ils ne sont en mesure de communiquer. Et elle sait que dans un an ou deux, elle aura droit à un « pling » dans son appli du WWF, comme dernier adieu de cette espèce de Madagascar jadis si nombreuse.

Elle fait quelques films des lémuriens avec sa tablette. Quand elle sort du véhicule blanc, elle croise un papa qui tient deux enfants par la main. Ils sont fous d'impatience. Chacun a reçu un cornet de pop-corn. Après être allés voir les animaux exotiques, ils auront peut-être droit aussi à une barbe à papa. Ce n'est pas tous les jours que des voitures blanches traversent le pays.

La grenouille

Anna retourna sur le site du journal et lut à voix haute :

Derniers développements : Statoil dément vouloir entrer dans une zone de conflit de la Corne de l'Afrique. Pour ce qui est d'autres zones du socle kenyan, la compagnie ne souhaite, pour des raisons liées à la concurrence, ni confirmer ni infirmer les conjectures émises…

Jonas commenta :
– Mais pomper du pétrole, ça, ils vont le faire…
Elle l'implora presque du regard.
– En ce moment précis, ce n'est peut-être pas ce qui compte.
– Et qu'est-ce qui compte, alors ?
– Cette annonce aide-t-elle Ester Antonsen ? Ou Ben, d'ailleurs ?
– Ben ?
– Quand il veut faire court, il dit juste Ben. Je lui envoie un SMS.
Elle tapa deux mots : *Du nouveau ?*
Quelques minutes s'écoulèrent avant que la réponse arrive : *Rien de neuf. Je te tiendrai informée.*
Anna soupira.

– Cette fois, il est vraiment déprimé.

Jonas avait commencé à regarder certains des papiers sur la table. Il en prit un et lut à voix haute :

La nature humaine se caractérise depuis toujours par un sens de l'orientation horizontal. Nous promenons notre regard, à l'affût de dangers et de proies potentiels, naturellement enclins à nous protéger nous-mêmes et à protéger les nôtres. Mais nous n'avons pas la même prédisposition à protéger nos descendants, et encore moins d'autres espèces que la nôtre.

Il est dans notre nature profonde d'êtres vivants de favoriser nos propres gènes. Mais nous n'avons aucune prédisposition à protéger ces mêmes gènes à l'horizon de quatre ou huit générations. C'est une chose qu'il nous faut apprendre. Tout comme nous avons appris par cœur la Déclaration des droits de l'homme.

Depuis notre apparition en Afrique, nous nous sommes livrés à un combat acharné pour empêcher notre branche d'être sciée de l'arbre de l'évolution. Et la lutte a réussi puisque nous sommes encore là. Mais l'homme, en tant qu'espèce, a tant et si bien prospéré qu'il menace le fondement de sa propre existence. Il a été une réussite telle qu'il menace le fondement de la vie de toutes les espèces.

Un primate joueur, inventif et vaniteux, peut facilement oublier que, au final, il est aussi partie prenante de la nature. Mais sommes-nous joueurs et vaniteux au point que le jeu lui-même passe avant notre responsabilité vis-à-vis de l'avenir de la planète ?

– C'est une bonne question, remarqua Jonas.

– Quoi donc ?

Anna pensait à la grande question qu'elle lui avait posée au téléphone, plusieurs heures auparavant.

Comment allons-nous réussir à sauver mille et une espèces de plantes et d'animaux ? Mais il pointa le doigt vers la feuille qu'il venait de lire :

– « Sommes-nous si joueurs que le jeu lui-même passe avant notre responsabilité vis-à-vis de l'avenir de la planète ? » Je dis juste que c'est une bonne question.

Elle lui adressa un sourire prétendument supérieur.

– C'est pour cela que je l'ai découpée, en l'occurrence.

Anna appréciait que Jonas s'intéresse à ces documents. Mais elle avait hâte de savoir à quelle conclusion il était arrivé pendant qu'il skiait.

– Alors, qu'est-ce qu'on fait ? Comment pouvons-nous empêcher l'extinction de mille et une espèces de plantes et d'animaux ?

Il reposa le document sur la table et découvrit alors une coupure de presse, qu'il lut à voix haute, comme s'il donnait la réponse au problème qu'avait posé Anna :

Si nous voulons parvenir à sauver la biodiversité de cette planète, il faudra un renversement copernicien de notre façon de penser. Tout comme il était naïf de croire que l'ensemble des corps célestes étaient en orbite autour de notre globe, il est naïf de vivre comme si tout ne tournait qu'autour de notre temps. Notre temps n'a pas une importance plus centrale que tous les temps à venir. Notre propre époque est naturellement ce qu'il y a de plus important pour nous. Mais nous ne pouvons pas vivre comme si elle était aussi ce qu'il y a de plus important pour ceux qui viendront après nous.

Jonas hocha la tête, d'abord pour lui même, puis il regarda de l'autre côté de la table et fit signe à Anna :

– Vu avec nos yeux, c'était complètement débile de croire que la Terre était le centre de l'univers et que tous les autres corps célestes tournaient autour. Mais est-il moins débile de vivre comme si nous possédions plusieurs planètes d'où tirer les ressources qui nous sont nécessaires ?

Anna commençait à perdre patience. Elle voulait savoir à quelle conclusion Jonas était parvenu. Il tira encore une feuille de *Que faut-il faire ?* et lui en fit la lecture.

> D'après une vieille parabole, une grenouille qui entre dans de l'eau bouillante en bondira aussitôt et sauvera ainsi sa peau. Mais si la grenouille est placée dans une marmite d'eau froide que l'on chauffe progressivement jusqu'au point d'ébullition, alors elle ne sentira pas le danger et mourra cuite.

Jonas hocha de nouveau la tête.

– Notre génération est-elle pareille à cette grenouille ? Nos démocraties le sont-elles ? Le globe sur lequel nous vivons peut-il supporter toute cette « hommerie » ?

Les automates verts

Nova est dans la capitale avec le garçon arabe qui avait séjourné dans la chambre des coussins. Ils se sont donc revus. Olla n'est plus de ce monde et c'est Nova qui porte la bague rouge. Elle est maintenant adulte et elle porte un tailleur noir, avec un châle rouge sur les épaules. Ce tailleur élégant va de pair avec sa présence dans la capitale, et sa couleur avec la mort de son arrière-grand-mère, bien sûr.

Le garçon arabe est devenu adulte, lui aussi. Il est vêtu d'une tunique blanche qui frôle presque l'asphalte quand il marche. Elle ne sait pas quel genre de vêtements il porte dessous.

Ils déambulent dans les rues principales de la ville et inspectent les automates verts qui seront bientôt accessibles au public. Mais les rues sont encore désertes. Nova et le garçon arabe ont le centre-ville pour eux tout seuls. Ces automates verts sont installés à un angle de rue sur deux, dans toutes les stations de métro et devant certains édifices.

Les cloches de la tour de l'hôtel de ville se mettent à jouer un air connu. C'est le signal qu'ils attendaient. Ils se dirigent chacun vers un automate, elle avec une carte rouge, lui avec une bleue. Chacun à son coin de rue, ils se regardent et se font un signe d'intelligence avant de passer la carte dans l'automate.

Nova choisit les plantes et les animaux sur lesquels elle veut miser. Chaque fois qu'elle compose un nombre, une vidéo apparaît sur l'écran. Il n'est pas possible d'obtenir d'images sans avoir, au préalable, misé un peu d'argent pour conserver le bout de nature présenté dans la vidéo. Tandis qu'elle contemple l'écran et mise de l'argent, la ville commence à se remplir. Les gens sortent des stations de métro, descendent des bus et gagnent les rues d'un pas flâneur. Beaucoup veulent essayer les automates verts. La ville ne tarde pas à être pleine de monde, et les files se forment devant ces nouvelles attractions. Les gens ont des conversations animées. Ils discutent avec emportement et gesticulent.

Au milieu de ce fourmillement humain, c'est tout juste si Nova parvient à repérer son compagnon. Mais, par bonheur, il dépasse la plupart des gens d'une demi-tête. Ils se retrouvent, se tapent la main, et elle lève les yeux vers lui en riant.

– C'est comme de remettre le monde en marche.

Il répond :

– Il suffit de prendre la nature humaine au sérieux.

Ludification

– Le monde a obtenu une nouvelle chance, répéta Anna, et maintenant, il va bientôt me falloir une réponse à la question de savoir comment nous allons l'employer.

Jonas leva enfin les yeux de tous les papiers sur la table. Il adressa à Anna un sourire malicieux, l'un de ces sourires qu'elle adorait, puis il ouvrit la fermeture Éclair de sa combinaison de ski rouge, en tira quelques feuillets pliés et les lui tendit.

Au sommet de la première feuille, elle lut en titre : *Comment allons-nous réussir à sauver mille et une espèces de plantes et d'animaux ?* Et dessous, en un peu plus petit : *Réponse au problème d'Anna.*

Elle tourna rapidement les pages et dénombra sept feuilles tapées à l'ordinateur. Elle le regarda :

– Je trouvais que tu tardais un peu, mais comment as-tu fait pour écrire tout ça ?

– C'est un secret. Mais lis donc.

Et Anna commença à lire à haute voix le texte qu'elle avait entre les mains. Pendant ce temps-là, Jonas mit plusieurs bûches dans le poêle, et se posta peu après à la fenêtre à petits carreaux avec la paire de jumelles.

Tous les animaux et plantes sont dépendants de leurs biotopes spécifiques, et quand une parcelle de nature est attaquée, ce sont toutes les espèces prospérant dans cet écosystème qui sont menacées. Ce qui arrive à ces zones est principalement lié à l'économie. Les riches ne dédaignent aucun moyen de devenir encore plus riches, par exemple en extrayant des ressources naturelles comme le pétrole, le charbon et les minéraux dans des régions vulnérables. Mais la pauvreté aussi peut conduire à une exploitation des écosystèmes qui n'est pas durable.
Le problème, c'est que ces questions sont souvent trop vastes pour un individu. Que fais-je pour l'Amazonie ? Pour la savane africaine ou les effectifs de poissons dans l'océan Atlantique ? Mais les gens ne pensent pas en ces termes. Le cerveau humain n'est pas construit ainsi. L'homme est un animal joueur, autocentré et individualiste.
C'est ce qu'il faut considérer en premier lieu dans toute tentative de sauver l'humanité et la planète sur laquelle nous vivons. Permets-moi de démarrer par un exemple. Admettons que tu te préoccupes particulièrement du tigre et que tu veuilles faire quelque chose pour sauver de l'extinction cette espèce en particulier. Tu peux aller en ville et demander aux gens que tu croises combien ils sont disposés à payer pour sécuriser les zones de vie du tigre. Tu auras peut-être une tirelire dans laquelle collecter de l'argent pour le Fonds de protection des tigres, mais tu peux également organiser une vente de charité, une brocante ou une grande tombola. Comme c'est à des hommes que tu t'adresses, tombolas et brocantes conviendront très bien.
Presque tous donnent une pièce d'une couronne pour la protection des tigres, ils le font sans réfléchir, certains donnent dix couronnes, c'est-à-dire à peu près le prix d'une barre chocolatée ou d'un brownie, d'autres cent

couronnes, et quelques très rares personnes sont prêtes à verser entre mille et dix mille couronnes, à condition que leur don soit mentionné dans le journal. En outre, on ne peut exclure que, pour des raisons personnelles, un besoin intense d'attirer l'attention, par exemple, un gros investisseur s'intéresse à ce problème et veuille faire un don d'un million de dollars ou d'euros afin de contribuer à la conservation du tigre. Certains dépensent bien des sommes pareilles pour acquérir des œuvres d'art, qui procurent peut-être un plaisir pour l'œil, mais qui ne sont pas vivantes, ne sont pas en mesure de se reproduire, et dont le volume ou la diffusion n'augmentent jamais. Et puis, un jour, une veuve britannique très âgée lègue sa fortune entière pour le bien-être du tigre, car le grand-père de cette vieille veuve de Birmingham était lieutenant en Inde, et, chose regrettable, il avait contribué à abattre pas moins de huit tigres, et, bon, l'une de ces peaux de bête se trouve aujourd'hui devant la cheminée sur le plancher de la bibliothèque familiale. Ces marques de soutien, on devrait pouvoir en obtenir dans le monde entier, et il suffit alors de mettre l'argent sur un compte bancaire, le compte des tigres, disons ; imaginons que plusieurs millions de personnes, ensuite, versent régulièrement dessus quelques deniers, une fois par mois, par exemple – car il faudrait, bien sûr, créer également un système de parrainage des tigres –, on aura tôt fait de recueillir plusieurs milliards d'euros ou de yuans pour développer un vaste programme de protection des biotopes du tigre. Dans un premier temps, il faudra réaliser de gros investissements pour arrêter la chasse clandestine et le braconnage du tigre lui-même, comme de ses proies, et dans le pire des cas, il faudra affecter une armée de *rangers* à cette toute première action d'urgence. Au marché noir, une peau de tigre va souvent chercher, actuellement, dans les cinq cent mille couronnes norvégiennes, et les prix continuent de grimper au fur et à mesure que le nombre de ces animaux vivant à l'état sauvage diminue. À cela s'ajoute le fait que plus les sanctions encourues par ce type de criminels sont sévères, plus les prix explosent. Mais ces sanctions doivent être durcies. En parallèle de cette première action, il va falloir sécuriser des couloirs entre les différentes populations de tigres afin d'éviter la consanguinité, et faire en sorte que les tigres puissent trouver les animaux dont ils se nourrissent, sangliers, cerfs et antilopes, notamment, ce qui veut dire qu'il faudra s'occuper aussi du milieu végétal dont dépendent ces herbivores. Protéger le tigre signifie protéger toute une série d'autres espèces végétales et animales. De ce point de vue, le tigre n'est que le symbole de quelque chose de bien plus grand que lui-même, et s'il disparaît, c'est le signe d'une nature en désagrégation.

– OK, dit Anna. Bien. Mais pourquoi le tigre ? Pourquoi pas l'ours blanc ?

– Je crois que je réponds à cette question dans la suite.

Anna poursuit sa lecture :

Pourquoi se concentrer sur une espèce donnée ? Qu'en est-il du grand-duc d'Europe ou du renard polaire ? Et des grenouilles ou des salamandres ? Et de toutes les autres espèces également menacées ? La réponse est qu'elles aussi doivent avoir chacune leur compte. En plus du programme des tigres, il faut mille fonds supplémentaires. Ce qui fait précisément mille et un fonds pour les espèces végétales et animales menacées, un chiffre passablement rond. De quoi *choisir*. Au lieu de donner sa contribution à la protection du tigre, il faut pouvoir opter pour un tout autre fonds, par exemple le fonds des lions ou celui des salamandres – pour des raisons éminemment personnelles, pour ne pas dire intellectuelles ou sentimentales, donc. L'intérêt, c'est la liberté de choix et tout le *bruit* qui va avec. Des rapports laissent entendre que, du seul fait du changement climatique, pas moins d'un million d'espèces pourraient être menacées. Cela ne signifie pas pour autant qu'il serait efficace d'opérer avec un million de fonds. Nous devons peut-être créer des fonds spécifiques pour les grands oiseaux et les mammifères. Et un seul fonds devrait suffire pour toutes les espèces de pucerons menacées d'extinction, par exemple. Ainsi, ceux qui, pour des raisons personnelles – une expérience singulière dans l'enfance, par exemple – nourrissent des sentiments particulièrement forts à l'égard des pucerons auraient plaisir à donner pour leur protection. Cependant si on veut sauver le puceron, il faut, bien entendu, sauver ce dont il s'alimente, les plantes, et peut-être sauvera-t-on alors les lièvres et les chevreuils, et même le lynx. Car dans la nature, tout est lié. En matière de biodiversité, le problème concerne largement autant la perte de nature et d'écosystèmes que celle d'espèces spécifiques. Les espèces qui ont perdu leur habitat naturel et ne perdurent que dans les zoos ne sont qu'à un pas de l'extinction définitive.

– Je ne comprends pas comment tu as eu le temps d'écrire tout cela.

Anna leva les yeux sur Jonas, mais il observait toujours le plateau enneigé à travers les vieilles jumelles. Elle ne pouvait pas voir quelle était l'expression de son visage.

– Mais qu'en penses-tu ?

– C'est drôlement bien. J'ai hâte de lire la suite. Je crois que ça me plaît.

– Continue alors !

Ma question est de savoir par quels procédés maintenir durablement l'engagement des gens pour la biodiversité. J'ai déjà évoqué ici la liberté de choix comme un des facteurs essentiels, permets-moi de te donner encore un exemple :
Imagine que, au lieu de se voir imposer de verser 30 ou 40 % de leurs revenus, quasiment comme une peine d'intérêt général puisqu'ils n'ont pas d'influence directe sur l'utilisation de cet argent, les gens puissent choisir à quels postes du budget de l'État ils veulent affecter leurs impôts. Il n'est pas sûr que la situation serait forcément très chaotique, car certains choisiraient de verser tous leurs impôts à la défense, d'autres à l'école, à la recherche, à la protection de l'environnement, à l'aide humanitaire ou aux transports collectifs, et d'autres encore opteraient pour les musées, les crèches, les hôpitaux, les opéras ou les personnes âgées. Et le résultat final serait peut-être à peu près celui d'aujourd'hui. À la différence près que les contribuables seraient satisfaits. Ce système tiendrait compte en effet du plaisir que ressent l'homme dès lors qu'il est question d'initiative personnelle, de compétition et de jeu.
Maintenant, transférons cela à la protection de l'environnement. Si les politiques introduisaient soudain un impôt environnemental, on ne manquerait pas de protester contre l'instauration de ce nouvel impôt, car qu'entend-on par environnement, et quelle politique environnementale est-elle la meilleure et la plus fondamentale ? Si, à la place, on introduisait un impôt plus spécifique pour conserver la biodiversité, à savoir le spectre des différents animaux et plantes existant dans la nature, il y aurait peut-être plus de gens qui marcheraient, mais certains continueraient de protester, car quelles espèces est-il important de préserver ? Pour

ma part, je ne supporte ni les loups ni les gloutons, dirait peut-être un éleveur de moutons ou un éleveur de rennes sami, et il y aurait sûrement un habitué des cafés de la jungle urbaine pour s'opposer à la conservation d'animaux auxquels il est indifférent, tels que le gerfaut ou le harfang des neiges, et que, de toute façon, il ne verra jamais ni de près ni de loin. Mais si chaque contribuable pouvait cocher entre une et huit espèces auxquelles verser son impôt environnemental, il y aurait alors une part d'évaluation personnelle et d'action volontaire. Et on aurait, de surcroît, un sujet de conversation, quelque chose qui permettrait de jouer les *importants*.

– Tu voudrais donc qu'il y ait mille et un fonds administrés par la population mondiale ? demanda Anna. Un jour, on pourrait verser une couronne ou deux sur le fonds des ours, et un autre, on aurait peut-être un penchant particulier pour l'aigle royal, le hibou grand-duc ou l'autour des palombes. Et au moins une fois par an, à Noël par exemple, on se déferait d'une ou deux couronnes pour une salamandre menacée ou une grenouille ?

– Ou inversement, salamandre et grenouille une fois par semaine, aigle royal et autour des palombes, pour les étrennes de fin d'année. Car qu'est-ce qui importe le plus, l'épervier ou la grenouille ?

– La grenouille, répondit Anna. Il faut bien que l'épervier ait de quoi vivre.

– Et avant la grenouille ?

– Les insectes et autres arthropodes… et les vers. Une fois, j'ai vu une grenouille aspirer un lombric en entier.

– Et encore avant ?

– Les plantes… les champignons… et les organismes unicellulaires.

– OK.

– Mais Jonas, ce n'est pas OK. C'est impossible que tu aies écrit tout ça aujourd'hui. Je refuse d'y croire. Je te le dis tout de suite. Je ne te crois pas !

– Tu ne pourrais pas juste continuer à lire ?

Et Anna replongea de nouveau dans le texte.

Mais j'entends une objection. Les gens se soucient-ils seulement de la nature ? N'avons-nous pas transformé la Terre en un vaste parc d'attractions ? Il existe peut-être un trop grand choix d'attractions amusantes pour que nous parvenions à nous rassembler autour de grandes missions communes à l'ensemble de l'humanité. Nous partageons une planète, mais tout le monde n'arrive pas à penser planète. Il y a trop de liberté dans le monde, trop de droits pour l'individu, trop de pouvoir d'achat pour les riches, trop de barils de pétrole et de moteurs de jet pour les plus riches, et un trop faible sentiment de responsabilité à l'égard du globe sur lequel nous vivons et de la juste répartition des ressources de ce globe. Avant de penser à quelque chose d'aussi particulier que la nature et le bien-être de la planète, les gens ont à se préoccuper de milliers d'autres aspects de l'existence. Il suffit de regarder tout ce que la presse écrit sur le sport et les jeux d'argent, les restaurants et les vins, les voitures et les bateaux de croisière, les téléphones portables et l'informatique, le jardinage et la décoration, la cuisine et l'exercice physique, les médicaments et les maladies liées au style de vie, la santé et la drogue et l'alcool, le sexe et la vie de célibataire… Sans compter tous les ragots et scandales. Chaque jour qui passe, il y a une célébrité de la télé ou une star de cinéma qui se marie ou qui divorce, qui se drogue ou qui se désintoxique. C'est de cela que les gens parlent. C'est ce qu'ils veulent avoir. Nous nous sommes éloignés de la nature dans laquelle nous vivons et dont, en fin de compte, nous sommes totalement dépendants. C'en est arrivé au point où les gens sont souvent capables d'énoncer davantage de noms de joueurs de foot et de stars de cinéma que d'espèces d'oiseaux.

Où veux-je donc en venir ? À ce qu'avec la pression que peuvent exercer les humains, nous pouvons peut-être réussir à sauver au moins mille et une espèces végétales et animales menacées d'extinction. Grâce à la nature humaine, donc. N'oublions pas de la prendre en compte. Il nous suffirait de prélever un peu de l'attention que les gens consacrent aux résultats sportifs, aux ragots sur les célébrités et aux soi-disant « arts et culture » pour la transférer sur le monde lui-même, sur la nature vivante et toutes les espèces de plantes et d'animaux qui risquent actuellement de disparaître. Et on pourrait papoter comme avant, mais cette fois en évoquant aussi les guillemots de Troïl, les macareux et les rhinocéros – et pas seulement Arsenal et Tottenham. On pourrait mettre en place des jeux d'argent stimulants sur les espèces menacées, rien ne devrait s'y opposer : *Voulez-vous un billet pour la tombola des macareux, tirage le 31 juillet ? Non, bon, mais j'ai aussi sur moi des cartes à gratter sur le harfang des neiges. Et puis si vous ne vous intéressez pas trop aux oiseaux, j'ai aussi des billets pour la loterie des lynx, c'est en effet demain qu'aura lieu le tirage annuel, et les résultats seront disponibles sur Internet dès demain soir.* J'entends déjà le buzz. J'entends une de ces délicieuses répliques, qui enfin concerne la nature : *Non, aujourd'hui, c'est moi qui régale, je viens de gagner quelques couronnes sur les tortues marines...*

Anna était bouche bée. Mais elle continuait de n'avoir face à elle qu'un dos tourné.

– Jonas… Jonas !

Il se retourna.

– Tu es fou ! s'exclama-t-elle. C'est divin, d'ailleurs. Mais Jonas, il faut que tu ailles voir un psychologue. Ou alors peut-être faire encore un petit tour à Oslo. Tu aurais bien besoin d'une bonne conversation avec Benjamin. *Pourvu qu'Ester lui revienne bientôt d'Afrique !*

Jonas sourit de toutes ses dents, et Anna poursuivit sa lecture.

Une condition préalable à tout cela est l'élaboration d'un catalogue avec un numéro de compte pour chaque espèce de plante et d'animal menacée d'extinction, ce qui doit être facilement faisable à partir des données sur Internet. On pourrait organiser quelques loteries d'envergure mondiale autour des différentes familles d'espèces menacées, par exemple les félins, les chouettes et les hiboux, ou les ours du monde entier, ou des jeux d'argent encore plus importants, avec un tirage tous les deux ans concernant des ordres entiers, comme celui des prédateurs, des ansériformes ou des artiodactyles. Le tirage des plus grandes loteries nationales serait évidemment diffusé à la télévision, et les artistes du pays feraient la queue pour y montrer leurs nouvelles robes et leurs costumes chics ; quant au tirage des plus grands jeux mondiaux, il ferait l'objet d'importants spectacles télévisés retransmis dans le monde entier. Entre-temps, on pourrait à tout moment faire des paris à une moindre échelle, par exemple sur le nombre d'animaux qui restent d'une espèce particulièrement exposée, car il faut constamment comptabiliser le nombre d'individus qui existent encore dans la nature.

Mais je pose de nouveau la question : avons-nous quelque raison de croire que la population mondiale soutiendrait un tel tohu-bohu au bénéfice des espèces végétales et animales du monde ? À cela, je répondrais que quand des pauses déjeuner, des soirées en ville peuvent être entièrement passées à discuter de la probabilité que onze hommes ont de parvenir, en deux fois quarante-cinq minutes, à mettre un ballon plusieurs fois dans les cages de l'adversaire ou non, il n'est pas impensable que, dans certaines circonstances, des gens puissent suivre avec intérêt l'évolution du nombre de lions qui restent dans le monde, ou de chimpanzés, surtout s'il y a un peu d'argent à gagner dans l'opération, et peut-être même une certaine approbation à recueillir au café, un peu de gloire et d'honneurs. Imagine tout ce qu'on pourrait apprendre sur la nature par le truchement de ces joueurs et de l'attention qu'ils susciteraient au sein de leur communauté et de la société en général – et dans le village mondial. Quelques personnes remporteraient de gros gains et, pendant un petit laps de temps, certaines deviendraient des célébrités nationales : *Celui-là, il est vraiment incroyable. Cette fois encore, c'est lui qui a été le meilleur pour toutes les grilles, invertébrés, arthropodes et vertébrés. Maintenant il a tiré le gros lot et il s'est acheté une voiture électrique et un duplex dans le quartier de Homansbyen à Oslo.* Pourquoi pas ? Les millionnaires de la faune ne sont pas comme les autres millionnaires.

– Bon, Jonas. Là, je trouve que tu vas trop loin. Ça fait un peu blog ou journal de lycée.

– Tu n'as pas tout lu.

– Et puis ça ne peut pas être un texte que tu as écrit aujourd'hui. Tu ne t'es pas contenté de faire des copier-coller sur Internet, n'est-ce pas ?

Jonas sourit. Comme il n'avait pas l'air de vouloir répondre, Anna reprit sa lecture.

On pourrait croire que je souhaite conclure là une alliance avec le diable. Mais je veux simplement prendre en considération la nature humaine. J'imagine qu'un peu du bavardage ambiant pourrait trouver un nouveau contenu ; quant à la forme qu'il pourrait revêtir, elle peut bien rester la même. Inutile de faire tout un numéro à propos des humains qui ont parfois des similitudes avec le singe ou l'enfant. Le fait est que nous descendons de l'un et de l'autre. Il faut conserver le côté compétition, car les hommes aiment concourir : *Combien de tigres reste-t-il dans le monde ? Et où vivent-ils ? Soyez tout à fait précis, faute de quoi vous serez éliminés tout de suite... Bien, bien. Et que faut-il faire pour que ces effectifs survivent ? Soyez concentrés, car vous n'aurez pas d'autre chance... Que pouvons-nous faire exactement pour sauver les zones de vie du tigre, nous parlons ici à la fois du tigre du Bengale et du tigre de Sibérie, et que ne devons-nous surtout pas faire ?... Ensuite vous devrez resituer la problématique du tigre dans un contexte mondial. Faites-moi un bref rapport de situation pour tous les félins du monde, la famille des félidés. Pour finir, rendez compte de ce qui s'est passé sur le terrain au cours des six derniers mois. Les équipes doivent ici fournir des réponses tout à fait précises...*
Ne serait-il pas libérateur que les rubriques people des journaux fourmillent un jour de tout nouveaux titres ? *Cet architecte d'intérieur soutient 114 vertébrés menacés... Le cœur d'un professeur d'anglais penche pour les grenouilles et les salamandres... Hjort, un enseignant, lègue toute sa fortune au Fonds des artiodactyles... Un agriculteur de Vinstra vend*

sa ferme et donne tout l'argent aux lions... Ce senior qui perçoit la retraite minimale continue de verser sa contribution hebdomadaire pour les renards polaires... Qui a fait le plus pour les populations aviaires au cours de l'année écoulée ? Grand suspense avant la retransmission télévisée dimanche de L'Oiseau d'or...

Et puis il faut que les gens *obtiennent* quelque chose. Il leur faut des objets visibles à accrocher au mur ou à poser sur la cheminée. Quelqu'un qui a versé mille couronnes pour la population des rennes reçoit un ruban ou une ceinture d'une couleur donnée, et quand on dépasse cinq mille couronnes, on reçoit un ruban ou une ceinture d'une autre couleur. Et on peut comme ça continuer de bavarder et de se pousser du col, c'est bien, c'est le bon côté de la nature humaine, tout à fait saine et normale. Ou alors les gens peuvent être chez eux à se googler les uns les autres : *Tu savais qu'il était ceinture noire de renne ?* Un bon sujet de conversation pour le déjeuner de Noël. C'est bien, c'est super. Je m'en remettrais presque à aimer les hommes !

– Mais tu n'as jamais pu taper tout ça avant de chausser tes skis. Il me semble que tu es arrivé dix ou quinze minutes plus tard que ce que je prévoyais. Pas dix heures ! Et puis, après avoir travaillé quelques semaines à la création d'une association pour l'environnement, ce serait un peu le comble que tu n'aies rien écrit sur le changement climatique.

– Lis donc la suite, Anna !

Mais j'entends encore une objection. Qu'en est-il du changement climatique ? Le réchauffement n'est-il pas la plus grosse menace que connaît ce million d'espèces

végétales et animales ? C'est tout à fait exact, et nous devons donc prévoir que 35 % de tout l'argent qui arrivera sur les mille et un fonds iront aux éoliennes, à l'énergie solaire, à la recherche sur les sources alternatives d'énergie, comme l'énergie de fusion, ainsi qu'à la réduction des émissions de gaz à effet de serre en général – plus ou moins une sorte de taxe sur la valeur ajoutée pour avoir le droit de participer à la fête. C'est peut-être aussi facile que cela. Réduire les émissions de gaz à effet de serre ne sera plus un problème, cela constituera un nouveau sport populaire.
Mon objectif était de montrer que, sur la durée, rien ne sert de jouer sur la mauvaise conscience de chacun parce qu'il ou elle a un milliardième de responsabilité à l'égard de la Terre et de son avenir. Que peut-on répondre à cela ? Comment est-il possible de vivre avec un milliardième de responsabilité à l'égard d'une planète entière ? Si nous voulons avoir la nature humaine avec nous dans ce projet, nous ne devons pas opter pour la marche au pas. Songe à tout l'intérêt, tout le goût de la collection qui vont d'ores et déjà de pair avec les plantes et les animaux, un intérêt pour tout, des orchidées aux perruches, en passant par les scarabées, les papillons, les pinsons et les perroquets, les roses, les groseilles et les rhododendrons, les chiens et les chats, les serpents et les iguanes, les rats et les souris. Mais en choisissant de verser quelques deniers sur le fonds pour les roses ou celui pour les perroquets, on contribuera également au ralentissement du réchauffement de la planète.

Pour finir, je voudrais adresser mes remerciements à Anna Nyrud, qui m'a donné l'inspiration de passer quatorze minutes devant mon PC pour faire quelques ajustements à l'exposé sur la biodiversité que j'ai présenté en classe, jeudi dernier. Le titre de cet exposé était « Comment peut-on créer un engagement populaire pour la biodiversité ? ».

Jonas Heimly, à Lo, le 11/12/2012

Anna leva les yeux.

– Je comprends… C'était un bel exposé, très bien, même. Mais qui va mettre tout cela en route ?

Jonas ne répondit pas.

– Qu'a dit ta prof ? Tu as été noté ?

– Elle m'a dit que c'était amusant, que c'était bien écrit et que la présentation était vivante. J'ai eu dix-sept sur vingt, et elle m'a expliqué que la seule raison pour laquelle je n'avais pas eu vingt, c'était que la façon de réaliser un projet pareil restait un peu floue. Elle considérait ces idées comme rafraîchissantes, mais pas vraiment « ancrées » dans la réalité.

– Je me faisais un peu la même remarque.

Ils restèrent quelques secondes sans parler. Soudain, Jonas écarquilla les yeux :

– Attends un peu… Oublie ces catalogues, ces comptes et tout ce cirque de transfert d'argent. Je crois que j'entrevois quelques mécanismes !

– Des mécanismes ? Qu'est-ce que tu veux dire ?

– Je veux dire du jeu lui-même.

– Oui ?

– J'imagine des automates verts que l'on placerait là où se trouvent les gens dans le monde entier, dans les aéroports, au coin des rues et dans les stations de métro. Il suffirait de passer sa carte dans l'automate. Tu taperais le code de l'espèce que tu veux soutenir – un nombre entre 0001 et 1001 – et alors apparaîtraient sur un petit écran de belles vidéos de cette espèce.

Ce serait une espèce de télé payante. Tu ne pourrais visionner que la partie de la nature que tu contribuerais à protéger, et en même temps tu participerais à une infinité de jeux d'argent. Avec plusieurs milliards d'hommes sur terre, et plusieurs millions d'espèces de plantes et d'animaux, il ne devrait pas être impossible d'introduire un peu de jeu dans tout le règne animal et végétal. Certains appellent cela la *ludification* ou *gamification*...

Anna poussa un soupir exaspéré.

– Mais tu m'en as déjà parlé.

– Mais non ! Je viens d'y penser.

Elle soupira encore.

– Alors c'est quelque chose dont j'ai rêvé.

Le regard d'Anna était devenu lointain. Pendant plusieurs secondes, elle fixa Jonas comme s'il était transparent.

– Anna ?... Anna !

Elle concentra de nouveau son regard sur les yeux de Jonas.

– Je ne peux rien y faire, Jonas, dit-elle.

Charmantes maisons de week-end

Les ongles vernis de rouge, Nova se promène dans la forêt de bouleaux. Il lui paraît un peu tordu de s'être verni les ongles juste avant de filer dans la forêt. Elle n'y rencontre jamais personne. Et puis elle pourrait avoir à se servir de ses mains.

Elle monte jusqu'au plateau et approche du vieux chalet d'alpage. Autrefois, chèvres et moutons y séjournaient de la Saint-Jean jusqu'à septembre. Dans l'étable il y avait des cochons, et des poules trottaient dans la cour. Les moutons pouvaient se garder eux-mêmes pendant tout l'été, vaquant librement dans la montagne, là où il y a maintenant la forêt.

L'ancienne ferme d'alpage n'est pas seulement désuète. Elle est gagnée par la végétation. Pourtant à l'abri de leurs murets en pierre couverts de verdure, tous ces chalets d'alpage demeurent de séduisants petits mondes à part. Certains sont entretenus et utilisés comme maisons de week-end, et certaines familles empêchent les arbres et les arbustes de les envahir.

Nova court doucement entre les troncs blancs, saute par-dessus un ruisseau qui murmure, et se réjouit de tous les secrets qu'elle est peut-être la seule à connaître. Elle entend un bruissement dans le fourré et aperçoit un chevreuil. Ce doit être un faon. L'espace d'une seconde, il reste parfaitement immobile à l'observer. L'instant suivant, il a disparu.

Elle gravit la dernière côte qui mène au vieux chalet. Elle avait prévu d'y entrer, mais à travers les fenêtres à petits carreaux, elle aperçoit quelqu'un. C'est son arrière-grand-mère Anna. C'est elle, indubitablement. Elle a vu des tonnes de photos et de vidéos d'Anna adolescente. Elle distingue un garçon à ses côtés, adolescent lui aussi.

Elle s'éloigne rapidement en marchant sur la pointe des pieds. Elle ne veut pas déranger ceux qui sont encore jeunes à cette époque.

La bague d'Aladin

Jonas prit la main d'Anna et commença à jouer avec sa bague rouge.

– Parle-moi de cette bague.

– Dans mon rêve ? Ou dans le conte d'Aladin ?

– Dans la réalité.

Elle raconta que le joyau était dans sa famille depuis plus d'un siècle. Son arrière-grand-mère, Sigrid, avait été la première à en hériter de Sunniva, sa grande sœur, qui avait émigré aux États-Unis et s'était fiancée avec un marchand de tapis persans. C'était une histoire triste, fort triste, car quelques semaines seulement après qu'il avait offert cette belle bague à Sunniva en gage de leurs fiançailles, Esmail Ebrahimi était tombé d'un bateau à aubes dans le Mississippi, et personne ne l'avait jamais plus revu. Tombé ou poussé par-dessus bord, comme on l'avait aussi affirmé, car le marchand avait à bord de quoi remplir un bazar entier de tapis, qu'on n'avait jamais revus non plus. La tante Sunniva, qui de toute façon en avait assez de l'Amérique, était rentrée au pays à peine un an plus tard, ne rapportant avec elle que la bague merveilleuse. Et puis son deuil, bien sûr, ce chagrin infini, car la tante Sunniva avait été aveuglément amoureuse du galant Persan, si aveuglément que l'imminence de son mariage avait parfois été mise en doute et qu'il y avait eu des murmures de « relation inconvenante ». La bague rouge était si mystérieuse et si exceptionnelle qu'on disait qu'elle venait d'Aladin, celui dont il est question dans les *Mille et Une Nuits*. C'est en tout cas ce que prétendait la tante Sunniva, qui n'en avait pas démordu jusqu'à ce qu'elle succombe des suites d'une phtisie galopante. Jusqu'à la fin, elle avait été rongée par le regret de ne pas avoir eu d'enfants, alors qu'elle avait un esprit de famille particulièrement développé. Elle répétait à l'envi qu'elle espérait de tout son cœur signifier quelque chose pour tous ceux qui vivraient après elle. Et pour que ce souhait s'exauce, elle avait consacré une grande partie de son temps à tisser, à faire de la dentelle et à broder pour toute sa brochette de neveux et nièces – dont la grand-mère maternelle d'Anna, qui avait hérité des coussins à motifs de contes. Et puis il y avait la bague, naturellement, l'Objet Précieux par excellence, qui, pendant des générations, allait passer de doigt en doigt et qui était maintenant à celui d'Anna.

Jonas souleva sa main pour examiner le rubis rouge.

– Il *est* vraiment d'une beauté incroyable… et j'ai le sentiment qu'il est très vieux, d'un tout autre temps, fit-il.

Il leva les yeux vers elle :

– Mais tu ne penses tout de même pas qu'il date réellement du conte d'Aladin ?

Anna ne répondit pas et reprit son récit :

– Sunniva n'avait que trente-huit ans quand elle est morte de la tuberculose, et cette bague était la seule preuve visible de son grand amour, lequel, à l'évidence, avait dû l'aimer par-dessus tout. On n'offre pas une bague aussi particulière à une vague connaissance féminine. Cette bague était, sans nul doute, une bague de fiançailles, mais Esmail avait aussi assuré à Sunniva qu'elle avait plus de mille ans.

Jonas regarda la bague.

– Il a peut-être un peu exagéré. Elle devait aussi être un peu crédule, cette tante ?

Anna secoua la tête avec assurance.

– Il y a cinquante ans, la bague a été examinée par un joaillier norvégien, spécialiste des bijoux orientaux, et sa conclusion était qu'elle devait dater d'au moins huit cents ans. Il a dit que cet anneau était une antiquité et a laissé entendre que, normalement, elle aurait dû appartenir au musée national d'Iran, à Téhéran. Selon lui, le rubis – couleur sang de pigeon – était originaire de Birmanie.

– De Birmanie, donc. Mais pas d'un conte.

Anna se contenta de poursuivre son récit, toute réjouie de voir que Jonas se laissait emporter par l'histoire.

– Esmail venait d'une famille pleine de traditions, de récits séculaires. Et, il y a huit cents ans, a véritablement vécu un homme appelé Aladin, en Perse. Ce nom signifie « élévation de la religion », et il l'avait reçu, dit-on, parce que, en pratiquant la prière quotidienne et en se consacrant à sa foi en Dieu, il avait résisté à un méchant sorcier qui en voulait à sa vie. Cela aurait eu un rapport avec la demande en mariage qu'Aladin avait faite à une jolie fille. Et puis, celui-ci aurait aussi réussi à dérober à ce sorcier une bague magique ; la portant à son doigt, il devenait invulnérable à toutes les formes de magie noire auxquelles le méchant sorcier essayait de le soumettre.

Jonas toussota.

– Et cet Aladin est censé être celui dont nous parle le conte ?

Anna hocha la tête avant de la secouer.

– Pas nécessairement. Un Peer Gynt a vécu un jour dans le Gudbrandsdal. Mais était-il celui dont nous parle Henrik Ibsen dans sa pièce ? Pas du tout ! Et si je me retrouve aujourd'hui avec une bague qui vient d'un véritable Aladin ayant vécu en Perse au treizième siècle, ça me suffit. Et puis nous pouvons observer autre chose… une chose que maman rappelle toujours. Cette maman toujours si raisonnable.

– Dis-moi ce que c'est, alors. Moi aussi, je veux être raisonnable.

Elle regarda Jonas dans les yeux.

– Il n'est pas impensable que la bague vienne véritablement de quelqu'un qui s'appelait Aladin. Mais, bien entendu, on peut aussi envisager que cet Aladin ait été nommé ainsi d'après celui dont il est question dans le conte. Car personne ne sait à quand remonte ce récit.

– J'achète, dit Jonas. Je crois que je suis d'accord avec ta mère. Quand on était dans cette salle d'attente, à Oslo, on a parlé de choses et d'autres. C'est sans doute elle qui représente la raison dans ta famille.

– Sûrement, répondit Anna.

Puis elle répéta d'une voix forte et véhémente, menaçante presque :

– *Sûrement !* Mais Sunniva avait aussi autre chose avec elle quand elle est revenue d'Amérique avec cette bague. Quelque chose à quoi elle a cru aveuglément jusqu'au jour de sa mort. Pour le comprendre, il nous faut jeter un petit coup d'œil sur ce conte des *Mille et Une Nuits*.

Jonas consulta sa montre. D'ici deux heures, il ferait noir. Pourtant, Anna continua :

– À deux reprises, Aladin a sauvé sa peau à l'aide de cette bague. La première, quand il était prisonnier d'une grotte et qu'il a joint les mains pour prier le

Tout-Puissant. L'esprit de la bague est apparu et a libéré Aladin de sa captivité. La seconde, c'était quand son palais entier, avec sa femme et ses serviteurs, a été déplacé de Chine en Afrique. Debout au bord du fleuve, Aladin a joint les mains pour une dernière prière, avant de se noyer dans son chagrin infini. Mais là encore, il a effleuré sa bague et l'esprit du joyau s'est de nouveau montré, prêt à exaucer le vœu d'Aladin de retrouver sa princesse bien-aimée. L'esprit de la bague n'avait pas le pouvoir de ramener d'Afrique tout le palais avec la princesse et les serviteurs, seul le génie de la lampe l'aurait pu, et la lampe était en Afrique, mais l'esprit de la bague avait le pouvoir de transporter Aladin lui-même dans le palais.

– Oui, je m'en souviens.

– La tante Sunniva disait toujours qu'on avait attribué à cette bague le pouvoir d'exaucer *trois vœux*, et que seuls deux vœux l'avaient été. Elle est morte en étant persuadée que, en cas de problème grave, la personne qui porterait cette bague pourrait utiliser ce troisième vœu. Sunniva n'avait jamais réussi à trouver de souhait qui soit assez grand. Elle aurait pourtant pu demander à recouvrer la santé quand elle s'est retrouvée face à la mort, mais elle a préféré léguer la bague.

Jonas quitta la table pour faire les cent pas sur les larges lattes du plancher. Finalement, il pointa un index raide sur Anna en disant :

– Et cette possibilité, c'est toi qui en as hérité ?

Elle l'observa – et acquiesça. Puis elle déclara d'un ton résigné, mais non dépourvu d'un certain triomphe :

– Mais je l'ai déjà utilisée, mon bon Jonas. Il n'y en a plus. Parce que maintenant j'ai profité de la dernière chance. Enfin, pas maintenant, en fait, mais dans soixante-dix ans, quand tout allait si mal sur notre planète qu'il n'y avait presque plus de vie dans les forêts vierges traditionnelles et dans les régions marécageuses, dans la prairie et dans la savane. Mon vœu le plus cher était que le monde ait une nouvelle chance. Ce souhait-là était juste une taille au-dessus de ce que l'esprit de la bague pouvait exaucer. Alors, à la place, j'ai demandé à ce que *moi*, je sois déplacée dans le temps jusqu'à l'époque où le monde avait encore une chance. Et zou, je suis arrivée ici. Et puis je t'ai rencontré. Et nous voilà, Jonas. Nous n'aurons pas d'autre chance que celle-ci. Dorénavant, nous devons savoir exactement ce que nous faisons. Car il ne reste plus de magie dans cette bague d'Aladin, j'en suis tout à fait sûre.

Jonas secoua la tête et laissa échapper :

– Je ne sais que croire.

Anna répondit :

– Mais ce n'est peut-être pas le principal.

– Qu'est-ce que tu veux dire ?

– Le principal, c'est que tu *croies*.

Anna jeta un œil par la fenêtre et vit une fille de son âge marcher devant le chalet. Elle n'eut pas le temps de voir son visage, mais ce personnage qui s'éloignait furtivement avait quelque chose de très familier.

Elle sursauta, avant de se précipiter à la porte et de l'ouvrir à toute volée en criant :

– Ohé ?

Jonas la rejoignit et voulut savoir qui elle avait appelé.

– C'était Nova, déclara-t-elle en refermant la porte derrière elle. Elle est passée là. Tu ne l'as pas vue ?

– Non.

– C'est elle dont je rêve. C'est elle que je suis quand je rêve.

Il la saisit fermement par l'épaule.

– Tu ne veux pas dire que tu viens de voir passer ta propre arrière-petite-fille ?

– Si !

– Mais Anna…

– Oui ?

– Tu crois que tu aurais pu enregistrer ce que tu as vu avec ton mobile ?

Elle réfléchit soigneusement.

– Peut-être pas. Mais ce n'est pas ce qui compte.

– Non ?

– Ce qui compte, c'est que *moi*, je l'ai vue.

Le tribunal du climat

C'est l'été, et Nova porte une robe rouge. Elle est appelée comme témoin au Tribunal international pour le climat de La Haye. C'est la première fois qu'elle va à l'étranger.

Elle marche dans la ville, main dans la main, avec le garçon arabe, ils sont donc devenus des sortes d'amoureux, à moins qu'ils ne fassent semblant. Vêtu d'un costume sombre et d'une chemise blanche, le garçon a presque l'air d'un chef d'État. Lui aussi est appelé comme témoin, et c'est peut-être pourquoi il porte ce beau costume. Évoluant ainsi dans la ville, ils pourraient vite être pris pour un jeune couple, mais tout cela n'est sûrement qu'une comédie ou un jeu.

Entre de hauts édifices, ils traversent une grande place où sont déployés une dizaine de dromadaires. Peut-être était-ce jadis un parking pour voitures. Des véhicules à quatre roues continuent de rouler dans la ville, et certains sont sur cette place en ce moment, mais ils sont rares. Les dromadaires sont attachés aux arbres, et les véhicules à leurs postes de chargement.

Il y a des années, le Tribunal international pour le climat a condamné la Norvège à verser 97 % du fonds pétrolier national à la lutte contre la pauvreté et en vue de diverses mesures climatiques, comme la construction de digues et de barrages. L'émirat d'où vient le garçon arabe a lui aussi été condamné à une sanction équivalente. Il y a des responsables à l'origine de chacune des blessures infligées à la planète et à l'humanité par la combustion de pétrole, de charbon et de gaz. Quoi qu'il en soit, le déchargement express des batteries fossiles de la planète était une usurpation des ressources mondiales, et la Norvège a écopé d'une condamnation particulièrement sévère en raison de la responsabilité de la compagnie pétrolière nationale dans l'extraction sale de sables bitumineux. Pour sa défense, la compagnie a argué que si elle ne l'avait pas fait, d'autres l'auraient fait plus salement encore. Cette déclaration est maintenant devenue un adage dans le monde entier : *si nous ne l'avions pas fait, d'autres l'auraient fait plus salement encore*. À La Haye, de nombreux criminels de guerre se sont défendus d'une manière similaire.

Nova et le garçon gravissent les marches vers le grand palais de justice. Tous les regards sont tournés vers eux. Des enfants leur lancent des pétales de roses blanches, on les prend donc pour des mariés, en tout cas ces petits enfants-là – ils sont si mignons.

Sur le perron, ils sont interviewés par une chaîne de télévision. On leur demande sur quoi portera leur témoignage. Nova regarde droit dans la caméra.

– Nous sommes jeunes. Nous allons témoigner du fait que la crise climatique n'est plus un conflit entre les nations. Il n'existe qu'une seule atmosphère, et depuis l'espace, on ne distingue aucune frontière nationale. Dans ce conflit, ce sont les *générations* qui s'opposent, et nous qui sommes jeunes aujourd'hui sommes les victimes de toutes les catastrophes climatiques.

Son compagnon lui serre la main. Cela signifie peut-être qu'il est d'accord – ou alors qu'il trouve qu'elle s'exprime bien – ou simplement qu'ils participent ensemble à quelque chose de grand et d'important.

Il regarde la caméra et déclare :

– Nous venons chacun d'une nation pétrolière, et nos deux pays sont soudainement devenus très riches. Mais dans l'émirat d'où je viens, nous avons dû fuir la sécheresse cuisante et la chaleur brûlante. Maintenant, nous n'avons plus de terre à nous. Tout n'est que désert et le pays n'est plus habitable.

Nova lève les yeux vers le garçon en souriant. Puis, le regard de nouveau braqué sur la caméra, elle ajoute :

– Ce jeune homme est l'un des millions de réfugiés climatiques de la Terre et il est venu habiter dans mon pays.

Les moufles

Anna et Jonas entreprirent de remettre de l'ordre dans le chalet d'alpage. Elle ferma la valve du poêle et il passa un chiffon sur le plan de travail de la cuisine. Il demanda s'il pouvait peut-être l'accompagner à Nyrud et dormir chez elle. À moins bien sûr que la chambre des coussins ne fût occupée par ce garçon arabe ?

Anna rit. Puis redevint sérieuse. Elle prit les deux mains de Jonas dans les siennes et le regarda.

– Ça ne tombe pas très bien aujourd'hui, Jonas. J'ai un truc à régler avant la nuit… quelque chose que je dois écrire et envoyer. On m'a donné une date de remise qui a un rapport avec mon anniversaire… C'est quelque chose que je suis obligée de faire partir avant d'avoir seize ans…

Elle remit sa documentation dans les deux sacs en plastique qu'elle fourra dans sa poche d'anorak, et Jonas plia son exposé.

– J'aurais voulu t'apporter une meilleure réponse à la question de savoir comment sauver mille et une espèces de plantes et d'animaux. C'était peut-être un peu trop tentant de simplement me servir de cet exposé.

– Je l'ai trouvé amusant, Jonas.

Il posa une main sur l'épaule d'Anna et la regarda droit dans les yeux :

– Je suis content que tu n'aies pas été obligée de rompre.

– De toute façon, ça ne se serait pas produit. Je veux être avec toi pour toujours.

Ils descendirent la pente de l'alpage. À Breavatnet, là où ils devaient se séparer, lui partant vers le sud-ouest, elle vers le sud-ouest, Jonas demanda à Anna à qui elle devait écrire. Était-ce quelqu'un qu'il connaissait ?

Anna demeura secrète, répondant qu'il s'agissait d'une personne avec qui il ferait peut-être connaissance un jour. Toutefois, si ça devait se faire, ce ne serait pas avant un bon moment.

Soudain quelque chose attira l'attention de Jonas. Il scruta les moufles d'Anna et fit remarquer :

– Quand je suis arrivé, tu avais des moufles bleues.

Elle fit un signe de tête malicieux.

– Où sont-elles ?

Elle leva ses mains.

– Ici…

Il secoua la tête, mais Anna ôta ses moufles et lui montra qu'elle pouvait les retourner et les utiliser des deux faces. Bleues d'un côté, rouges de l'autre.

Il serra Anna contre lui.

– Bon, sois prudente dans toutes ces descentes ! Et ne cherche pas à voir cette… fille, là. Il ne faut pas que tu m'échappes, Anna. Il ne faut pas te perdre de l'autre côté. Promets-le-moi. Il ne faut pas que tu deviennes complètement… *far out*… farfelue.

Le parc animalier

Nova et le garçon arabe sont dans un tramway bondé qui sort de la ville. Il fait chaud. Ils portent tous deux un jean bleu et un T-shirt clair. Sous le sien, elle n'a qu'un soutien-gorge rouge. On ne peut plus voir que ce garçon vient d'un pays arabe.

Ils descendent du tramway à l'entrée d'un grand parc. Au-dessus du large portail, il y a un écriteau où est inscrit en lettres rouges : *The International Zoological Park*. L'entrée est gratuite. Considéré comme une propriété collective de l'humanité, le parc animalier international de La Haye est inscrit sur la liste du patrimoine mondial de l'Unesco.

Aussitôt entrés, ils voient une multitude d'animaux évoluer entre les arbustes et les arbres, à travers des plaines immenses, des espaces plantés ressemblant davantage à une sorte de savane. Il y a aussi des prédateurs dangereux, comme des lions et des tigres, qui se promènent librement parmi les antilopes et les cervidés, les insectes et les rongeurs, les hominidés et les marsupiaux. Ils sont donc apprivoisés, pourrait-on croire, mais Nova sait qu'il ne s'agit pas de véritables animaux. Ce sont des hologrammes, dans leur version la plus actuelle, et ils ne sont pas constitués de chair et de sang, mais de rayons laser.

Les animaux du parc ont l'air parfaitement réels tant par leurs couleurs et leurs silhouettes que par leurs mouvements. Devant eux bondit soudain un immense kangourou. Une panthère noire le chasse à un rythme effréné, et dans les airs des pigeons et des oiseaux de proie battent des ailes pêle-mêle. Mais ils ne sont pas vivants. Ils sont virtuels. Et ne sont donc pas dangereux ni pour les hommes ni les uns pour les autres. Pour cette même raison, ils sont aussi silencieux. Ils nécessitent peu de soins, ne doivent être ni nourris ni nettoyés de leurs poux et autres parasites, et ne se soulagent pas dans les fourrés.

Le garçon a passé son bras droit autour des épaules de Nova. Flâner dans ce grand jardin, c'est comme se balader dans un monde d'hier, presque comme être de retour dans le jardin d'Éden.

Ce n'est pas un hasard si le gouvernement mondial a choisi La Haye pour créer le Parc zoologique international. Il se trouve dans la même ville que le Tribunal international pour le climat et témoigne de toutes les régions détruites de la planète. Les modèles vivants de tous les animaux du parc ont en effet disparu de la surface de la Terre, avec les habitats et les écosystèmes dans lesquels ils prospéraient jadis. La végétation du parc est également virtuelle. Aucun de ces arbustes, arbres et plantes ornementales n'existe encore. Seule l'herbe sur laquelle ils marchent est naturelle, et alors que Nova se baisse pour renouer ses lacets, elle aperçoit un minuscule puceron écarlate, qui est peut-être vivant, quoique cela soit difficile à déterminer.

Un chacal ne cesse de leur couper la route, et le garçon arabe essaie de l'écarter de la jambe, mais ce canidé crampon n'est fait de rien de tangible. Il n'est qu'un mirage.

Le garçon s'arrête pour laisser le chacal partir rôder plus loin. Il caresse les cheveux de Nova, laisse filer sa chevelure brune entre ses doigts. Puis il lui demande :

– Ce parc est-il fait pour réjouir l'humanité ? Ou n'est-il qu'un douloureux rappel ?

Elle glisse les mains sous son T-shirt, les fait claquer sur sa poitrine en le regardant.

– C'est un rappel désagréable, mais nécessaire, de l'extermination de tas d'espèces que jamais les hommes ne doivent avoir le droit d'oublier.

Identité

Le crépuscule commençait à tomber. Anna dévala à skis la forêt de bouleaux et dépassa le parc de stationnement. De là, elle continua de descendre par la route de montagne, qui n'était ni salée ni sablée.

Soudain, elle distingua la fille qu'elle avait vue au chalet d'alpage. D'un bond, celle-ci s'écarta de la route et s'enfonça dans les bois. Elle avait sous le bras un appareil qui irradiait une lumière bleue. Cette fois, Anna eut aussi un aperçu de son visage. Elle ressemblait un peu… à Anna elle-même…

Elle fut frappée par l'idée qu'elle n'avait pas vu son propre visage quand elle avait rêvé qu'elle était cette fille. Elle ne s'était jamais trouvée devant un miroir. Ce que c'était agaçant !

Elle freina dans un dérapage brusque et remonta laborieusement jusqu'à l'endroit où la fille avait traversé la route. Elle s'enfonça dans la forêt de bouleaux et remarqua de profondes empreintes de pas dans la neige. Mais la fille qu'elle cherchait s'était comme volatilisée.

Il faisait presque noir, mais pas tout à fait. Il n'y avait pas de lune ce soir-là, mais de plus en plus d'étoiles se dessinaient dans le ciel.

Elle avait lu quelque part que l'étoile la plus proche du soleil se situait à 4,3 années-lumière de distance. Elle s'appelait Alfa Centauri. Mais aller sur l'étoile voisine du soleil, même à la vitesse d'un Jumbo Jet, prendrait cinq millions d'années !

Sa propre planète ne s'en trouvait que plus proche et plus vulnérable.

Elle songea à une chose qu'elle avait lue dans un article rangé dans une des boîtes rouges. Il y était question d'oser être davantage que soi-même. Elle avait l'article dans un des sacs en plastique, mais le ciel était devenu bien trop obscur pour lire et elle n'avait pas de lampe de poche. Elle pensa à son arrière-petite-fille qui s'était trouvée dans le même bois avec sa tablette, et ôta ses moufles pour sortir son nouveau smartphone de son anorak. Elle se souvenait d'une formule en particulier dans l'article et la googla pour retrouver l'article sur Internet. Elle tapa : « Quelle est l'étendue de notre horizon éthique ? » En moins d'une seconde, l'article qu'elle recherchait apparut sur l'écran :

> Quelle est l'étendue de notre horizon éthique ? En fin de compte, c'est là une question d'*identité*. Qu'est-ce qu'un être humain ? Et qui suis-je ? Si je n'étais que moi-même – le corps qui est assis ici en train d'écrire –, je serais une créature sans espoir. À la longue, j'entends. Mais j'ai une identité plus profonde que mon propre corps et mon propre bref instant sur Terre. Je fais partie de – et je prends part à – quelque chose de plus grand et de plus puissant que moi-même.
> Si j'avais eu le choix entre mourir à cet instant, avec la garantie que l'humanité perdurerait pendant des millénaires, ou vivre en bonne santé jusqu'à ce que j'aie

moi-même cent ans, sachant que l'humanité entière s'éteindrait en même temps – je n'aurais pas hésité. J'aurais choisi de mourir ici et maintenant – et pas comme une *victime sacrificielle*, mais parce qu'une partie de ce que j'envisage comme « moi » est incarnée par l'humanité entière. Et j'ai peur de perdre cette partie de moi-même. La seule idée que cela puisse se produire me terrifie. J'ai plus peur que l'humanité soit perdue dans cent ou mille ans que mon propre corps disparaisse dans une seconde – de toute façon, c'est ce qu'il fera un jour ou l'autre.

Il m'arrive en outre de penser au nom de toute la planète sur laquelle je vis. Elle est moi, elle aussi. Je me préoccupe du destin de cette planète parce que j'ai peur de perdre le noyau profond de ma propre identité.

L'auteur du texte n'était pas indiqué et Anna resta à se demander qui cela pouvait bien être. Était-ce une femme ou un homme ? Elle ne put s'empêcher de rire. Le texte entier parlait justement d'être quelque chose de plus grand et de plus puissant que soi-même.

Peut-être était-ce la raison précise pour laquelle il n'était pas signé !

La planète

Nova est dans un vaisseau spatial avec le garçon arabe. Ils ont remporté un prix international pour leurs efforts méritoires en faveur de la planète sur laquelle ils vivent, et en récompense, douze tours autour de la Terre dans un minivaisseau spatial.

Ils ne sont que tous les deux dans la petite cabine. Ils n'ont pas besoin de s'inquiéter des aspects techniques. Tout est dirigé et contrôlé par des ordinateurs et ils n'ont qu'à s'enfoncer dans leurs sièges et profiter du voyage.

Ils regardent la planète. Ils se souviennent de ces images bleu-vert prises lors des missions Apollo, plus de cent ans auparavant. Ils la trouvent méconnaissable. De l'espace, ce qui se remarque le plus nettement, c'est qu'elle est largement plus couverte de nuages et d'intempéries, ce qui correspond bien au temps qu'ils ont pu expérimenter sur Terre. Ce globe qui, il y a un siècle, ressemblait à une bille bigarrée, a aujourd'hui plus en commun avec un morceau de coton incolore.

Malgré tous ces nuages, être dans l'espace n'en reste pas moins une expérience spectaculaire, et, entre les systèmes nuageux, ils peuvent tout de même distinguer quelques taches vertes, marron et bleues. Voici l'Afrique et l'Inde, la Chine, le Japon…

Ce qui surprend le plus Nova, c'est le silence. La seule chose qu'elle entende, c'est le souffle de son compagnon de voyage. Il lui semble en outre percevoir les battements de son cœur. À moins que ce ne soit ceux de son cœur à elle ?

Le garçon regarde constamment vers elle en souriant.

– Tu es si belle.

Gênée, elle baisse les yeux sur leur planète.

Elle regarde la Terre qui l'a créée et voudrait détourner l'attention du garçon en répondant qu'elle vient d'une belle planète. *Autrefois*, elle était merveilleusement belle.

Aucun homme ne peut les voir depuis la Terre. Ils sont entièrement abandonnés à eux-mêmes et l'un à l'autre. Avec ce voyage, ils sont vraiment *far out*. Elle songe que la façon la plus intime de passer quelques jours avec quelqu'un qu'on aime, c'est sans doute de se trouver dans une petite navette spatiale.

Ici, dans l'espace, le jour et la nuit ne durent qu'environ deux heures au total. Mais ils ont assisté à douze couchers et levers de soleil, et, au-dessus des nuages, le ciel est toujours bleu.

La lettre électronique

Anna avait soupé avec son père avant de lui dire bonne nuit. La seule chose qu'il avait voulu lui dire était qu'elle ne devait plus jamais mettre la bague rouge pour faire du ski. Et si elle l'avait perdue dans la neige !

Il était choqué qu'elle ait emporté cette bague ancienne pour aller en montagne. Cette bague était un peu trop grande pour elle, n'en avaient-ils pas parlé ? C'était la raison pour laquelle ils avaient attendu ses seize ans pour la lui donner. Sans y penser, on ôtait parfois ses moufles pour régler ses chaussures ou ses fixations, on ouvrait une poche pour lire un SMS… Elle aurait pu la perdre.

Maintenant Anna était devant son ordinateur dans sa chambre bleue. Elle avait fini d'écrire la lettre à sa propre arrière-petite-fille et l'avait mise sur le blog de son association écologiste. Elle la relut encore une fois :

> Chère Nova, je ne sais pas à quoi ressemble le monde à l'heure où tu lis ces lignes. Mais toi, tu le sais. Tu sais quelle a été l'ampleur des dégâts climatiques, à quel point la nature a régressé et peut-être, exactement, quelles espèces de plantes et d'animaux ont disparu.

Je ne trouve pas facile d'écrire à quelqu'un qui va vivre sur Terre plusieurs générations après moi, et ce n'est pas pour arranger les choses que la personne à qui j'écris soit ma propre arrière-petite-fille. Mais je vais être aussi franche et sincère que possible.

Là où je me trouve, dans le coin le plus riche du monde, il n'est malheureusement qu'une seule chose qui compte. Nous appelons cela la consommation. Dans certaines autres sociétés, on parle souvent de nécessités vitales. Quand on utilise plutôt le mot « consommation », c'est sans doute que nous refusons de nous rendre à l'évidence qu'il n'existe pas de limite supérieure dans l'acte de consommer. La coupe n'est jamais pleine. Un mot qui n'a presque plus cours est le petit mot *assez*. À sa place, nous employons de plus en plus un autre mot, encore plus court. *Plus*.

Une chose dont tu connais davantage les conséquences que moi, c'est que la glace du Groenland et la glace océanique arctique ont commencé à fondre, et, par conséquent, la chasse aux nouvelles réserves de pétrole et de gaz est déjà lancée. Les politiques disent que le monde a besoin de plus d'énergie. De plus de gaz et de pétrole pour sortir davantage de gens de la pauvreté, disent-ils. Mais ils mentent. Ils savent que ce ne sont pas les intérêts des pauvres qui les meuvent. Ils ont bien sûr conscience de ce que la combustion par les riches de davantage de pétrole et de charbon ne fera qu'empirer les choses pour les plus pauvres. Ce sont les compagnies et les nations pétrolières les plus riches qui ont besoin de plus de profits. Donc, *plus, plus, plus*. Il n'y a aucune volonté politique de ne pas toucher aux nouveaux gisements de pétrole et de gaz. Malheureusement on manque aussi d'une volonté populaire équivalente. Nous sommes une génération égoïste. Nous sommes une génération brutale. Nous avons peu

conscience du fait que les générations après nous pourraient aussi avoir besoin d'un peu de cette énergie. Un mot que nous utilisons rarement est le mot *économiser*. Mais des termes comme « conscience écologique », « carboneutre » et bla, bla, bla, sont de plus en plus fréquemment employés dans la presse et dans les documents officiels. Nous avons développé une langue, presque une langue pour rire, qui n'a presque aucun rapport avec notre réalité physique.
N'y a-t-il donc vraiment pas le moindre brin d'optimisme et d'entrain dans ce labyrinthe ? Peut-être, peut-être pas. Je ne peux que poser la question et je sais que pour toi la réponse est donnée.
C'est une maigre contribution de ma part que je vais te présenter là, mais je ne vois pas de meilleure solution pour créer un élan populaire en vue de la protection des ressources de cette planète pour l'avenir. Essaie d'imaginer la chose suivante :
Partout où il y a des gens – dans les forêts et à la montagne, sur les places et aux coins des rues, dans les stations de métro et dans les aéroports – on installe des automates verts. On peut y passer sa carte pour faire apparaître de merveilleuses séquences de films sur la nature et les terres sauvages du monde. Peut-être s'agit-il d'une espèce animale ou végétale que l'on a envie d'étudier en particulier, ou d'un écosystème spécifique ou de la zone de vie de milliers d'espèces. Le truc, c'est qu'on ne voit de la nature que la partie dont on assume soi-même la responsabilité. Pas plus. Tout l'argent qui arrive sur ces machines – on pourrait en monter des millions de par le monde – est en effet employé à la sauvegarde de la nature terrestre. En même temps, les usagers participent à une multitude de concours amusants et de jeux d'argent.

C'est peut-être donc quelque chose d'aussi curieux qu'une nouvelle génération de consoles de jeux qui constitue actuellement l'espoir du monde. C'est douloureux de l'admettre. Mais nous n'arriverons à rien en ne prenant pas en compte la nature de l'homme et de la démocratie.

Il est tant de choses que j'ignore sur l'avenir. Je sais seulement que je vais contribuer à le créer. Et j'ai peut-être un peu commencé à le faire.
Avec mes meilleurs vœux pour toi et le monde dans lequel tu vas grandir et vivre ta vie.

Affectueusement.
Ton arrière-grand-mère Anna (Nyrud).

Et juste *à ce moment-là*, minuit sonna et c'était le jour de l'anniversaire d'Anna. On était le 12/12/12. Elle fut presque stupéfaite qu'il ne se produise rien de spécial à l'instant précis où l'horloge sonnait minuit, qu'il n'y ait pas de collision entre deux voitures à la station-service, que rien ne tombe de sa bibliothèque, qu'il n'y ait pas, au moins, une plaque de neige qui chute du toit.

Mais au bout d'un petit moment, elle reçut un SMS de la part de Benjamin :

Tout va bien. Libérée par des soldats kenyans, il y a quelques minutes à peine. Ester est en bonne santé, elle vient de m'appeler. Merci pour ton soutien moral ! Salutations de Benjamin. P-S : Elle a été bien traitée, n'a pas été enfermée et n'a jamais eu ni les pieds ni les mains ligotés. A joué aux dés avec les preneurs d'otages ! Et moi, j'ai fait ce jogging. B.

Anna poussa un soupir de soulagement et sentit une larme perler au coin de son œil. Mais Benjamin n'allait pas s'en sortir si facilement. Elle l'appela, et il décrocha avec un :

– C'est toi, Anna ?

– J'étais sûre qu'Ester serait libérée dès qu'on serait le 12 décembre.

– Pourquoi cela ?

– Le monde a fait une boucle et nous avons franchi le seuil d'une nouvelle ère.

– Mais *pourquoi* ?

– Je ne pense pas que vous ayez la patience de m'écouter tout vous raconter. Mais j'ai seize ans aujourd'hui.

– Bon anniversaire !

– Merci.

– C'est sympa de m'appeler maintenant, Anna, mais après, tu attendras un peu avant de me recontacter.

– Alors je vais juste vous raconter quelque chose, et puis j'ai aussi une question à vous poser.

– Raconte ! Mais il faut que nous soyons brefs.

– Je vous ai déjà dit que je n'arrête pas de rêver que je suis mon arrière-petite-fille… Mais aujourd'hui, je l'ai aussi vue en étant éveillée. Pouvez-vous encore me certifier que je ne suis pas malade ?

– Non, Anna, tu n'es pas malade. Et puis…

– Oui ?

– Tu es peut-être plus saine que la plupart. Il faudrait qu'il y ait plus de gens comme toi.

– Comment ça ?

– Nous devons apprendre à mieux visualiser nos descendants, à sentir la présence de ceux qui vont hériter de la Terre après nous.

– C'est joliment dit !

– Y avait-il autre chose ?

– Oui… Pourquoi avez-vous une étoile à l'oreille ?

Il rit.

– C'est ma femme qui me l'a offerte, il y a plus de trente ans, quelques jours seulement après la naissance d'Ester.

– Bravo !

– Ester signifie « étoile ». Et ce vieux nom ne fait pas allusion à n'importe quelle étoile, mais à l'étoile du matin – ou Vénus.

– Je me sens idiote !

– Pourquoi cela ?

– Parce que je ne l'avais pas deviné. Mais c'est super quand même.

– Bonne nuit, Anna.

– Bonne nuit, Benjamin.

– Attends un peu, Anna !

– Oui ?

– Peux-tu me libérer du secret professionnel ?

– Je n'ai rien à cacher. Mais pourquoi ?

– Je pourrais avoir envie de saluer Ester de ta part. Tu m'as toujours fait penser à elle quand elle avait ton âge. Vous avez cette même hardiesse, ce même engagement.

– Classe. Eh bien, saluez-la de ma part, alors !

– Mais à strictement parler, je n'ai pas le droit de parler de mes patients.

– Maintenant si, puisque je vous ai libéré de ce vœu de confidentialité. Ce serait très sympa de la saluer de ma part et n'hésitez pas à lui raconter tout ce dont nous avons discuté. Et puis vous ne m'avez pas traitée pour quoi que ce soit. Vous avez simplement établi que je n'avais pas besoin de traitement, et dans ce cas, je n'accepte pas l'idée d'avoir été votre « patiente ».

– Tu n'as pas entièrement tort.

– Vous êtes un copain, Benjamin. *That's all.*

Anna éclata de rire.

– Alors, on fait comme ça. Bonne nuit, Anna.

– Bonne nuit !

Elle se prépara pour la nuit et se coucha. Elle avait le sentiment qu'une éternité s'était écoulée depuis la dernière fois qu'elle s'était trouvée dans son lit. Peut-être était-ce parce qu'elle y était de nouveau qu'elle se souvint aussitôt d'un passage important du rêve de la nuit précédente.

Rupture logique

C'est tôt le matin, et il pleut à seaux. Nova est assise dans son lit, dans la chambre rouge, et regarde sa tablette. Elle se croit seule, mais aperçoit Olla devant l'étroite fenêtre, qui contemple la vallée. Elle toussote pour que celle-ci, aussi, sache qu'elle n'est pas seule dans la pièce. La vieille dame se tourne vers elle et dit doucement :

– Oui, mon enfant ?

Nova lit à haute voix la lettre électronique qu'elle vient de trouver : *Chère Nova, j'ignore à quoi ressemble le monde à l'heure où tu lis ces lignes. Mais toi, tu le sais...*

Olla tressaille. Elle agite le bras gauche et la bague rouge étincelle dans les airs. On dirait une démonstration de force.

– Tu as donc fini par mettre la main sur ce que je t'avais écrit.

– Mais qu'est-il advenu des automates verts ? Ont-ils jamais été installés ?

Olla la regarde sévèrement et répond d'un ton pincé :

– Je passe ! Je dois passer mon tour, Nova, car quelle que soit ma réponse à cette question, il y aura une rupture logique.

– Y aura-t-il aussi une rupture logique si je te demande comment s'appelait mon arrière-grand-père ?

La vieille dame fait un mouvement de tête, presque avec coquetterie.

– Tu ne t'en souviens pas ? Cela ne fait pourtant pas si longtemps que tu sautais sur ses genoux. Enfin. Le garçon auquel tu penses s'appelait Jonas et il était de Lo.

– Jonas…

– Ne t'ai-je pas raconté que nous avions l'habitude de nous retrouver au vieux chalet d'alpage ? Il arrivait à skis de Lo, et moi, je montais de Nyrud. À l'époque, pour parler du chalet, nous disions simplement « la montagne ». On se retrouve « à la montagne ».

– Et maintenant il n'y a plus que des fourrés, là-haut.

Mais Anna lui lance de nouveau un regard sévère et la remet à sa place.

– Je passe ! Il y a de nouveau une rupture logique. Car maintenant le monde a obtenu une nouvelle chance.

Et elle fait tourner son poignet gauche, faisant chatoyer le rubis poli.

L'arrière-grand-père

Anna resta longtemps allongée à écouter les craquements et les grincements des murs gelés de la maison. Au moment précis où elle s'endormit, elle commença à rêver d'un oiseau rouge qui tapait au carreau pour entrer. Le rêve était si vivant et les coups de l'oiseau si intenses qu'elle se réveilla. Elle alluma la lumière, s'empara de son nouveau téléphone et vit qu'elle avait reçu un SMS. C'était peut-être ce qui l'avait réveillée. Ou n'était-ce que le gel qui faisait craquer les murs ?

Le message était de Jonas :

Tu es réveillée ?

Elle tapa sa réponse :

Oui. Tu m'as réveillée.

Bon anniversaire !

Merci, Jonas.

J'ai lu.

Lu ? Je ne comprends pas.

Ce qu'il fallait que tu écrives. Tu l'as mis sur le blog.

Au secours ! Je ne m'étais pas imaginé que ce serait lu avant soixante-dix ans. Tu peux m'appeler ?

Une seconde plus tard, son mobile sonnait.

– Tu es au courant que ça s'est bien passé en Afrique ? demanda Jonas.

– Oui, merci. J'ai parlé à Benjamin. Il est *happy*, bien sûr… Tu sais pourquoi il porte une étoile à l'oreille ?

– « Ne crains jamais la puissance des ténèbres, les étoiles brilleront… » ?

– Non, allez, arrête de faire l'imbécile, Jonas.

– Ben, dis-le, alors !

– Sa femme lui a offert l'étoile, quelques jours après la naissance d'Ester. Et Ester signifie « étoile »…

Jonas se mit à inonder Anna de vœux d'anniversaire et de louanges sur la lettre qu'elle avait mise sur Internet. Il était particulièrement content qu'elle ait parlé des automates verts. Il toussota. Puis il dit :

– J'ai noté ce que tu avais écrit tout à la fin : « Il est tant de choses que j'ignore au sujet de l'avenir. Je sais seulement que je vais contribuer à le créer. Et j'ai peut-être un peu commencé à le faire…»

– Oui, c'est ce que j'ai écrit à mon arrière-petite-fille.

Il toussota encore.

– Je pourrais peut-être t'offrir d'être l'arrière-grand-père de cette enfant.

Anna explosa de rire. Elle rit si fort qu'elle eut soudain peur d'avoir réveillé son père à l'étage inférieur. Elle chuchota dans le téléphone :

– Viens, alors, Jonas !

Maintenant c'était son tour à lui de rire. Il hennissait.

– Tu es dingue.

– Il y a beaucoup de choses qui sont dingues.

– Nous pourrions peut-être commencer par devenir adultes ensemble. Je ne trouve pas qu'il soit urgent de devenir arrière-grands-parents.

Elle rit de nouveau.

– Je vais en tout cas faire beaucoup d'autres choses que mettre des enfants au monde. Cet été, je vais aller à Bergen en vélo. Tu m'accompagnes ?

– Volontiers, si tu m'accompagnes à Rome en train.
– Sérieusement ?
– Croix de bois, croix de fer.
– C'est ce que je voulais dire. Maintenant on est en route. Tu sais s'il est possible de passer par les Pays-Bas pour aller en Italie ?
– Sûrement. Les Néerlandais, eux aussi, vont à Rome. Tu as envie de voir Amsterdam ?
– Je pensais à La Haye.
– La Haye ? Tu as rendez-vous avec un criminel de guerre ?
– Non, mais un jour, on créera peut-être un tribunal international pour le climat à La Haye. J'aurais bien aimé passer une journée dans cette ville avec toi. Il y a quelque chose que je voudrais découvrir. C'est peut-être quelque chose que je veux te montrer. Un immense terrain, peut-être un parc, ou tout un quartier…
– Tu piques ma curiosité, là.
– Mais tu me promets que nous allons donner une nouvelle chance à cette planète ? C'est le plus important. Et que nous aurons beaucoup de monde avec nous.
– Évidemment.
– Tu y crois, Jonas ? Je veux que nous croyions à ce que nous faisons.
– Oui…
– Tu es optimiste ? Ou pessimiste ?
– Je ne sais pas. Les deux, peut-être. Et toi ?
– Je suis optimiste, moi, Jonas. Et tu sais pourquoi ? Je trouve immoral d'être pessimiste.
– Immoral ?
– Le pessimisme n'est qu'un autre mot pour paresse. Je peux être soucieuse, c'est tout autre chose, mais être pessimiste, c'est avoir renoncé.
– Tu n'as pas tort sur ce point.

– Et puis, il y a quelque chose qui s'appelle l'*espoir*. Et, dans la pratique, cela peut parfois signifier se battre. Tu veux en être, Jonas ? Tu veux venir te battre dans le monde ?

– Je crois que tu pourrais m'entraîner dans n'importe quoi.

– Alors je vais te mettre à l'épreuve.

– Vas-y !

– Veux-tu que nous commencions à lire ensemble ?

– Lire ?

– Oui, Hamsun, Dostoïevski et tout. Les classiques, Shakespeare et Homère. Et les vieux contes, *Les Mille et Une Nuits*... Et les mythes, on pourrait démarrer par les mythologies grecque et nordique. J'ai envie de lire des choses au sujet d'Yggdrasil et du ragnarök. J'ai envie de lire l'histoire de Cassandre, qui était voyante et disait ce qui allait se passer, mais que personne ne croyait...

– Tu veux dire se faire la lecture à voix haute ? N'est-ce pas un peu...

– Non, non. Mais on lit le même livre à peu près au même moment. Comme ça, on se plonge ensemble dans d'autres mondes. Nous évoluons dans les mêmes paysages imaginaires. De cette façon, nous finirons par avoir un grand cercle de connaissances virtuelles. Et nous pourrons aller nous balader en montagne, avec une longue file d'amis invisibles.

– OK. Marché conclu.

– On s'y met demain. Je vais acheter les *Mystères* de Hamsun en deux exemplaires. J'ai vu qu'ils l'avaient à la librairie et le titre m'a plu. Et c'est mon anniversaire, papa va sûrement me donner de l'argent. Tu ne l'as pas lu ?

– Non. Mais tu ne cesses de me surprendre.

– C'est bien.

– Peut-être…

– En ce moment précis, je pense que c'est complètement dément de vivre, c'est à la limite du raisonnable. C'est effectivement différent d'avoir seize ans et pas seulement quinze ans et trois cent soixante-quatre jours. Il y a tant de choses que je *veux*. Tu sais ce que je vais faire avant d'aller au lycée, demain ?

– Non, ce n'est pas moi qui suis extralucide.

– Je vais trouver combien il existe d'espèces de pucerons.

– Tu es donc bel et bien frappée.

– Mais c'est toi qui m'as donné cette idée.

– Quoi ? Moi ?

– Tu en as parlé dans ton exposé. Tu as écrit que tu voulais créer un fonds pour toutes les espèces de pucerons menacées d'extinction. Donc, je me suis demandé combien d'espèces il en existait.

– J'avais complètement oublié. Mais là on devrait peut-être essayer de dormir un peu.

– Ne sois pas si plan-plan, Jonas. Quand tu m'as envoyé ton message, j'avais déjà dormi une seconde, et maintenant je me sens complètement réveillée.

– Après la journée que tu as eue, tu vas sûrement te rendormir. Et puis on va sûrement te réveiller au petit matin. Tu ne crois pas que ton père va te servir des petits pains et une boisson sucrée au lit ?

– Des tartines et du thé, Jonas. J'ai passé l'âge des petits pains et des boissons sucrées.

– Alors, bonne nuit !

– Tu sais ce que je vais faire si je n'arrive pas à dormir ?

– Compter les moutons ?

– Non, mais tu chauffes. Je vais compter les pucerons. Je vais fermer les yeux et compter ces pucerons hyperactifs du genre écarlate. Et puis demain, je pourrai te dire combien j'ai pu en dénombrer avant d'aller au pays des rêves.

– Je vais peut-être faire pareil. Comme ça, on verra qui a mis le plus longtemps à s'endormir. Bonne nuit, Anna ! On se voit demain !

– Bonne nuit.

Le village

C'est la nuit et il fait complètement noir, mais très chaud. Nova est assise par terre aux confins d'un village avec trois hommes de son âge. À la lueur bleuâtre d'une lampe à gaz, elle voit que tout le monde est équipé d'une arme automatique. La lampe à gaz est suspendue au toit d'un abri délabré. Contre cet abri sont appuyés deux sacs de maïs, et sur ces sacs est inscrit : World Food Programme.

Dans le bush environnant, elle entend les stridulations grinçantes des grillons. Dans le village, juste à côté, elle entend aussi des femmes qui papotent et rient, une chèvre qui bêle, et, soudain, un nourrisson qui pleure. Les pleurs ne tardent pas à se tarir, et elle se dit que l'enfant a été mis au sein.

Elle n'a pas peur. Mais elle comprend tout d'un coup où elle est et qui elle est, elle est Ester, et la vie a fait d'elle une otage dans un lieu désert, à la frontière entre la Somalie et le Kenya.

Des chauves-souris battent des ailes devant la lampe à gaz. Elle regarde ses ravisseurs. Ils lui font un signe de tête, et elle prend des dés dans la terre rougeâtre et les lance. Les dés roulent et se retrouvent tous avec la face à six points sur le dessus. Elle fait un sourire gêné parce qu'elle a tant de six. Les hommes aux armes automatiques aussi esquissent un sourire.

– *You are a winner !* s'exclame l'un d'eux.

Avec un sous-entendu plus sombre, un autre ajoute :

– *White people from the North are always winners.*

Entre eux sont posés une bouteille de limonade rouge et quatre verres. L'un des hommes fait le service.

Elle lève les yeux. Il n'y a pas de lune et le ciel offre la plus généreuse pluie d'étoiles qu'elle ait jamais vue. Incroyable, songe-t-elle, qu'il puisse y avoir tant de guerres et d'inimitié au-dessous d'une vue pareille sur l'univers. Elle a honte pour l'humanité.

La stridulation intense des grillons et les bruits épars du village ne font que souligner le calme de la nuit. Il y a quelque chose de sécurisant, de rassurant dans la familiarité de ces bruits nocturnes.

Mais soudain, les fourrés s'agitent et le moment idyllique est brusquement rompu par des détonations aiguës et des ordres secs dans une langue qu'elle ne comprend pas. L'un des ravisseurs parvient à tirer une salve avec son arme automatique, mais l'instant suivant, ils se plaquent tous au sol en criant grâce, et Ester les imite. Dans le village résonnent les cris de terreur des femmes qui parlaient et riaient, et le bébé se remet à pleurer.

Les preneurs d'otages sont menottés et conduits à une Jeep verte qui a subitement fait son apparition, et Ester est prise en charge par un officier vêtu de vert qui s'exclame dans un anglais courant :

– *Best wishes from your father Benjamin !*

Ester

Anna n'avait dormi que quelques petites heures, mais en se réveillant, elle eut le sentiment d'être partie pendant plusieurs mois. Elle s'était encore trouvée à un tout autre endroit du monde durant la nuit. Avant que le téléphone sonne, ou peut-être juste au même moment, elle eut le temps de se souvenir qu'elle avait été Ester, prise en otage dans la Corne de l'Afrique.

Persuadée que c'était Jonas qui appelait, elle répondit simplement :

– Bonjour, bonjour !

Mais c'est une voix féminine qu'elle entendit demander :

– Es-tu Anna ?

– Oui ?

– Je suis Ester Antonsen. J'appelle de Nairobi.

Anna sursauta.

– Je ne comprends strictement rien. Je viens à l'instant de sortir d'un rêve et dans ce rêve j'étais vous… Pourquoi m'appelez-vous ?

– Bon anniversaire, Anna ! C'est pour cela que j'appelle. Tu as seize ans, aujourd'hui.

– Merci.

– Papa m'a parlé de toi. C'est lui qui m'a suggéré de t'appeler pour te souhaiter un bon anniversaire. Tu lui as remonté le moral pendant que j'avais disparu. Je te dois un grand merci !

Anna se sentait heureuse d'avoir réussi à être un soutien pour Benjamin. Elle expliqua :

– Je l'ai libéré du secret professionnel et lui ai demandé de vous saluer de ma part. J'admire les âmes engagées qui vont sur le terrain pour aider les plus pauvres.

Avant qu'elle ait pu en dire plus, Ester lui demanda :

– C'est vrai que tu as rêvé que tu *étais* moi ?

– Tout à fait vrai, oui. Je rêve souvent que je suis quelqu'un d'autre. C'est un peu pour ça que j'ai fait connaissance de votre papa. Une fois, j'ai rêvé que j'étais un éléphant. C'était une drôle de sensation... Mais cette nuit, j'ai rêvé que j'étais vous. Comment vos ravisseurs vous ont-ils traitée ?

– Bien, au fond. J'ai demandé à pouvoir dormir à la belle étoile. Ils m'ont dit que ce ne serait pas un problème, ils allaient monter la garde à tour de rôle. Mais en fait, nous sommes restés debout toute la nuit à jouer aux dés.

– Et vous avez gagné. N'est-ce pas ? *You were the winner !*

– Comment le sais-tu ?

– Euh...

– Anna, comment le sais-tu ?

– Vous savez ce qu'il est advenu des preneurs d'otages ? Ils ont des femmes et des enfants...

– Les preneurs d'otages ont été livrés aux autorités somaliennes.

– Et puis...

– Je vais dire qu'on m'a traitée de manière respectable. Mais ça n'a pas été un conte de fées, Anna. J'avais peur. Nous ne pouvons pas accepter que des travailleurs humanitaires soient pris en otages. Nous pouvons essayer de comprendre les terroristes, mais jamais excuser le terrorisme. Ces garçons devront peut-être effectuer une peine d'emprisonnement de quelques années avant de rentrer chez eux.

– OK… Je repense à cette histoire de « femmes et d'enfants ».

– Qu'est-ce que tu veux dire, cette fois ?

– J'ai vu une photo de vous dans un journal en ligne. Et puis j'ai téléphoné à Benjamin. C'était probablement parce que je vous avais reconnue d'après une photo qui était sur son bureau.

– Mais sur cette photo, c'est ma mère, et elle a été prise il y a des décennies.

– Je sais. Vous devez beaucoup vous ressembler…

Il y eut un silence au bout du fil.

– On me dit souvent que je suis le portrait de maman. Mais elle est morte quand j'étais petite, Anna, et ensuite Benjamin n'a plus eu que moi. Maintenant, il a également Lukas, mon fils. Mais quand on m'a prise en otage, Benjamin a eu peur de me perdre, moi aussi, et il était peut-être encore plus inquiet à l'idée que Lukas grandisse sans maman.

– Alors, je comprends. Il était très stressé… Quel âge a Lukas ?

– Huit ans. Il adore son grand-père, et il semble que ce soit réciproque.

– J'imagine ! Pour moi, votre papa est devenu un copain. Est-ce que vous devinez pourquoi ?

– Non, mais j'aimerais bien le savoir.

– Il a *compris* le problème du climat et il se sent concerné. Mais ce n'est pas tout. L'autre chose, c'est qu'il parle sérieusement de ces questions-là avec une fille de mon âge.

– Mais quand *moi*, j'avais seize ans, il n'était pas autant à l'écoute. C'est moi qui l'ai éduqué.

– Ah bon ? C'est la fille qui a éduqué le père ?

– Non, non, il m'a appris à faire des ricochets dans l'eau. Il m'a appris à reconnaître les oiseaux. À tailler des flûtes dans des roseaux, à faire des bateaux en écorce, des colliers de fleurs.

– Alors, ç'a été un bon père.

– Mais c'est moi qui ai adhéré à Nature et Jeunesse et qui lui ai enseigné le climat. Depuis, je le tiens au courant de l'évolution des choses.

– Classe ! Et comment résumeriez-vous cette évolution ?

– Les glaciers du globe fondent, et les glaces éternelles de l'Arctique ont atteint un niveau minimum qui fait peur. Le mois de septembre de cette année a été le plus chaud que nous ayons connu, et rien qu'aux États-Unis, il y a eu plus de mille records météo. De nombreux symptômes du réchauffement climatique se sont manifestés bien avant ce que nous escomptions, même en prenant en compte les scénarios les plus pessimistes des climatologues. Des millions de gens souffrent déjà des conséquences que nous avions annoncées, il y a seulement quelques années. Nous assistons à des exemples de plus en plus fréquents et de plus en plus destructeurs de catastrophes climatiques, comme les inondations, les canicules et les feux de forêt, et les gens sont obligés de fuir.

– Je sais…

– Mais le monde n'arrive pas à se mettre d'accord sur la réduction des émissions de gaz à effet de serre. Les nations pétrolières du monde n'arrivent pas à laisser les dernières gouttes de pétrole ! Les plus riches ne sont pas disposés à renoncer à certains de leurs privilèges.

Et plus nous tardons à changer notre fusil d'épaule, plus ce changement coûtera cher.

– Ces catastrophes doivent tout de même déjà coûter pas mal d'argent ?

– Évidemment. Il y a quelques années, on a dit que nous appartenions à la première génération qui avait une influence sur le climat de la Terre, et en même temps à la dernière qui n'aurait pas à en payer le prix. Mais cette déclaration n'est plus vraie. J'ai de mes propres yeux vu et vécu la détresse climatique, j'ai assisté à des sécheresses et j'ai eu entre les mains des enfants mourants… C'est tellement douloureux, Anna. Car ce n'est pas la nature qui tue. C'est nous, les hommes.

– Quand j'aurai terminé le lycée, puis mes études, j'irai peut-être sur le terrain, moi aussi.

– Tu pourras venir avec moi, un jour. Mais avant cela, j'ai envie de te rencontrer.

– Il n'est pas certain que ce soit aussi amusant de me rencontrer que Benjamin en a donné l'impression. En tout cas, je ne mords pas !

– Je rentre en Norvège, la semaine prochaine. Tu vas parfois à Oslo ?

– Peut-être. Mais…

– Oui ?

– J'ai un amoureux qui s'appelle Jonas…

– Ça, je sais. J'ai entendu parler de lui aussi.

– Là, je trouve qu'il va trop loin.

– Qui ça ?

– Benjamin. Il aurait dû respecter son vœu de confidentialité, quand même.

– Ce n'est pas très grave, Anna. Mais qu'est-ce que tu allais dire ?

– Nous avons fondé un groupe environnement au lycée. D'ailleurs, c'est Benjamin qui nous a incités à le faire. Si vous veniez d'Oslo pour nous raconter ce que vous avez vu en Afrique, la moitié du lycée viendrait sans doute vous écouter. On aurait sûrement le droit d'occuper la salle des fêtes et, si tel n'était pas le cas, eh bien, nous le ferions quand même ! Vous pourriez parler des victimes actuelles du réchauffement de la planète. Vous avez peut-être aussi quelques photos, et puis des anecdotes.

– Ce serait avec grand plaisir, Anna.

– Il faudrait que ce soit le soir. Mais vous pourrez dormir chez nous. Je ne pense pas que vous puissiez imaginer les ragoûts que papa est capable de sortir de son chapeau. Maman n'est pas aussi douée, mais elle sait faire des desserts.

– Cela me semble très sympathique !

– Et puis nous avons une petite chambre d'amis avec un énorme canapé et dix-sept coussins différents…

– Dix-sept coussins ?

– … et sur chaque coussin est brodée la scène d'un conte. Il y en a un avec une très jolie image d'Aladin quand il découvre la lampe merveilleuse dans sa grotte souterraine. On oublie souvent qu'Aladin avait aussi une bague magique, qui est représentée au premier plan dans cette broderie, et il se trouve que quelque chose dans cette bague a un rapport avec aujourd'hui, je pourrai vous en parler quand nous nous verrons. Au fait, êtes-vous déjà montée sur un dromadaire ?

– Souvent, Anna.

– Je ne l'ai fait qu'une fois. Benjamin m'avait recommandé de passer du temps avec des Arabes, et c'est ce que j'ai fait ces derniers temps.

– Où ça ?

– Ici, dans ma propre tête… Mais j'entends papa qui s'agite en bas, dans la cuisine, il sera bientôt dans l'escalier. Il monte avec des tartines et du thé et croit qu'il va me réveiller. Je pourrai vous en dire bien plus quand nous nous verrons. J'ai hâte ! Maintenant, il faut que je fasse semblant de dormir.

– Oui, il faut que tu joues le jeu.

– À moins que je ne lui dise qu'Ester Antonsen m'a téléphoné pour me souhaiter un bon anniversaire ? Vous pensez que je pourrais faire ça ?

– Bien sûr. Il n'y a aucun secret professionnel en ce qui me concerne.

– Passez une bonne journée, alors !

– Toi aussi, Anna. C'est ton jour à toi !

Quelques sites internet

ARKIVE :
arkive.org (en anglais)

Fondation Bellona :
bellona.org (en anglais)

Centre de recherche sur les dynamiques climatiques de Bjeknes :
sked.bccr.no (en anglais)

L'association norvégienne Changemaker :
changemaker.no/english (en anglais)

Cicero, le centre international pour la recherche sur le climat et l'environnement d'Oslo :
cicero.uio.no/home/index_e.aspx (en anglais)

Encyclopedia of Life :
eol.org (en anglais)

Les Amis de la Terre :
foei.org (en anglais)
amisdelaterre.org (en français)
naturvernforbundet.no/english
(site en anglais de l'organisation norvégienne)

Sites sur la recherche scandinave :
forskning.no (en norvégien)
sciencenordic.no (en anglais)

Forum pour l'environnement et le développement
(Norvège) :
forumfor.no/english (en anglais)

Liste rouge de l'UICN :
iucnredlist.org (en anglais)
uicn.fr (en français)

Association norvégienne Natur og Ungdom
(Nature et Jeunesse) :
nu.no/english (en anglais)

Rainforest foundation :
regnskog.no/languages/francais (en français)

Réseau norvégien de la biodiversité :
Sabima.no/about-sabima (en anglais)

Fondation Sophie Prize :
Sophieprize.org (en anglais)

Wikispecies, le répertoire libre et ouvert
des espèces vivantes :
species.wikimedia.org (en anglais)
species.wikimedia.org/wiki/accueil (en français)

Spire, fonds du développement, jeunesse (Norvège) :
Spireorg.no/english (en anglais)

Site sur les connaissances actuelles sur le climat :
Tograder.no (en norvégien)

WWF :
worldwildlife.org
wwf.fr

The Zero Emissions Ressources Organisation :
zero.no/en/about-zero (en anglais)

DU MÊME AUTEUR

Le Monde de Sophie
Seuil, 1995
« Points », n° P1000

Le Mystère de la patience
Seuil, 1996
et « Points », n° P634

Dans un miroir, obscur
Seuil, 1997
et « Points », n° P549

Le Petit Frère tombé du ciel
(illustrations de Gabriella Giandelli)
Seuil Jeunesse, 1997

Vita Brevis
Lettre de Floria Æmilia à Aurèle Augustin
Seuil, 1998
et « Points », n° P1055

Maya
Seuil, 2000
et « Points », n° P905

La Fille du directeur de cirque
Seuil, 2002
et « Points », n° P1390

La Belle aux oranges
Seuil Jeunesse, 2003
et « Points », n° P2325

Le Château des Pyrénées
Seuil, 2010
et « Points », n° P2560

Je me demande
(illustrations de Akin Düzakin)
La joie de lire, 2014

RÉALISATION : NORD COMPO À VILLENEUVE-D'ASCQ
IMPRESSION : CPI FRANCE
DÉPÔT LÉGAL : MAI 2016. N° 130958-4 (2037250)
IMPRIMÉ EN FRANCE